中國美術全集

墓葬及其他雕塑二

全國百佳圖書出版單位

APTIME 時代出版傳媒股份有限公司
黃 山 書 社

目　　録

隋唐（公元五八一年至公元九〇七年）

頁碼	名稱	時代	發現地	收藏地
334	三彩駱駝載樂俑	唐	陝西西安市鮮于庭誨墓	中國國家博物館
335	彩繪陶牽駝胡俑	唐	陝西西安市	陝西省西安市文物局
335	陶牽馬胡俑	唐	陝西西安市韓森寨唐墓	陝西省西安市文物保護考古所
336	彩繪陶牽馬女俑	唐	陝西西安市灞橋區唐金鄉縣主墓	陝西省西安市文物保護考古所
336	彩繪釉陶女立俑	唐	陝西禮泉縣鄭仁泰墓	陝西省昭陵博物館
337	彩繪陶女立俑	唐	陝西禮泉縣鄭仁泰墓	陝西省昭陵博物館
337	彩繪陶男裝女立俑	唐	陝西西安市機械化養雞廠	陝西省西安市文物保護考古所
338	綠釉男裝女俑	唐	陝西西安市鮮于庭誨墓	中國國家博物館
338	三彩女立俑	唐	陝西西安市鮮于庭誨墓	中國國家博物館
339	三彩女立俑	唐	陝西西安市中堡村唐墓	陝西歷史博物館
340	三彩女立俑	唐	陝西西安市中堡村唐墓	陝西歷史博物館
340	三彩女立俑	唐	陝西西安市	陝西歷史博物館
341	三彩女坐俑	唐	陝西西安市白家口	中國國家博物館
341	三彩女坐俑	唐	陝西西安市王家墳唐墓	陝西歷史博物館
342	陶女俑	唐	陝西西安市楊思勗墓	中國國家博物館
342	陶高雙髻女俑	唐	陝西西安市韓森寨唐墓	陝西省西安市文物保護考古所
343	陶錐髻女俑	唐	陝西西安市韓森寨唐墓	陝西省西安市文物保護考古所
343	陶蓮花髻女俑	唐	陝西西安市韓森寨唐墓	陝西省西安市文物保護考古所
344	彩繪陶女俑	唐	陝西西安市西北政法大學	陝西省西安市文物保護考古所
344	彩繪陶女俑	唐	陝西西安市西北政法大學	陝西省西安市文物保護考古所
345	彩繪陶偏髻女俑	唐	陝西西安市	陝西省西安市文物保護考古所
345	彩繪陶女侍俑	唐	陝西西安市灞橋區唐金鄉縣主墓	陝西省西安市文物保護考古所
346	陶捧物女俑	唐	陝西西安市韓森寨唐墓	陝西省西安市文物保護考古所
346	彩繪陶女舞俑	唐	陝西長武縣棗元鄉郭村	陝西省長武縣博物館
347	彩繪陶男俑	唐	陝西禮泉縣新城長公主墓	陝西省考古研究院
347	三彩男俑	唐	陝西西安市鮮于庭誨墓	中國國家博物館
348	黃釉説唱俑	唐	陝西禮泉縣鄭仁泰墓	陝西歷史博物館
348	彩繪陶樂俑	唐	陝西西安市	陝西歷史博物館
349	綠釉陶參軍戲俑	唐	陝西西安市鮮于庭誨墓	中國國家博物館
350	三彩雜技俑	唐	陝西西安市唐墓	陝西省西安市文物保護考古所
350	彩繪陶胡俑頭像	唐	陝西乾縣永泰公主李仙蕙墓	陝西歷史博物館
351	彩繪陶袒腹胡俑	唐	陝西西安市灞橋區唐金鄉縣主墓	陝西省西安市文物保護考古所
351	陶大食行旅俑	唐	陝西西安市	中國國家博物館
352	彩繪陶黑人俑	唐	陝西長武縣棗元鄉郭村	陝西省長武縣博物館

頁碼	名稱	時代	發現地	收藏地
372	彩繪陶雜戲俑	唐	甘肅慶城縣慶城鎮穆泰墓	甘肅省慶城縣博物館
373	彩繪陶騎馬俑	唐	江蘇揚州市	江蘇省揚州市唐城遺址文物保管所
373	彩繪陶騎馬女俑	唐	江蘇揚州市	江蘇省揚州市唐城遺址文物保管所
374	彩繪陶舞俑	唐	江蘇揚州市城東鄉林莊唐墓	江蘇省揚州博物館
374	木男女立俑	唐	江蘇無錫市西漳寺頭沈巷皇甫雲卿墓	江蘇省無錫市博物館
375	陶老婦俑	唐	江蘇無錫市江溪陶典村墓葬	江蘇省無錫市博物館
375	青黃釉褐彩戲球童子俑	唐	江蘇常州市勞動東路	江蘇省常州博物館
376	陶武士俑	唐	湖北武漢市武昌區鉢盂山唐墓	湖北省博物館
376	陶武士俑	唐	湖北武漢市武昌區鉢盂山唐墓	湖北省博物館
377	陶梳髮女俑	唐	湖北武漢市武昌區何家壠188號墓	湖北省博物館
377	陶牽裙女俑	唐	湖北武漢市武昌區鉢盂山	湖北省博物館
378	陶伎樂女俑	唐	湖北武漢市武昌區何家壠188號墓	湖北省博物館
378	釉陶伎樂俑	唐	湖南長沙市咸嘉湖	湖南省博物館
380	陶女樂俑	唐	湖南長沙市	湖南省博物館
380	陶持杖老人俑	唐	湖南長沙市赤崗衝	湖南省博物館
381	陶胡人俑	唐	湖南湘陰縣	湖南省博物館
381	青瓷牽馬胡人俑	唐	重慶萬州區	四川博物院
382	彩繪陶文官俑	唐	遼寧朝陽市工程機械廠蔡須達墓	遼寧省博物館
382	彩繪陶男俑	唐	遼寧朝陽市工程機械廠蔡須達墓	遼寧省博物館
383	彩繪泥騎馬仕女俑	唐	新疆吐魯番市阿斯塔那187號墓	新疆維吾爾自治區博物館
384	彩繪泥打馬球俑	唐	新疆吐魯番市阿斯塔那230號墓	新疆維吾爾自治區博物館
384	彩繪泥厨事俑群	唐	新疆吐魯番市阿斯塔那201號墓	新疆維吾爾自治區博物館
385	彩繪泥文吏俑	唐	新疆吐魯番市阿斯塔那201號墓	新疆維吾爾自治區博物館
385	彩繪泥男俑	唐	新疆吐魯番市阿斯塔那216號墓	新疆維吾爾自治區博物館
386	彩繪木女俑	唐	新疆吐魯番市阿斯塔那206號墓	新疆維吾爾自治區博物館
386	彩繪木牽馬俑	唐	新疆吐魯番市阿斯塔那206號墓	新疆維吾爾自治區博物館
387	彩繪木宦者俑	唐	新疆吐魯番市阿斯塔那206號墓	新疆維吾爾自治區博物館
388	彩繪泥男俑頭	唐	新疆吐魯番市阿斯塔那	新疆維吾爾自治區博物館
388	彩繪木雜技俑	唐	新疆吐魯番市阿斯塔那336號墓	新疆維吾爾自治區博物館
389	彩繪泥大面舞俑	唐	新疆吐魯番市阿斯塔那336號墓	新疆維吾爾自治區博物館
390	銅胡騰舞俑	唐	甘肅山丹縣	甘肅省博物館
391	彩釉陶騎馬俑	唐		上海博物館
391	陶馴馬俑和馬	唐		中國國家博物館
392	三彩調鳥俑	唐		上海博物館

頁碼	名稱	時代	發現地	收藏地
432	陶鎮墓獸	唐	河北定州市南關	河北省定州市博物館
433	彩繪描金陶鎮墓獸	唐	寧夏固原市開城鎮小馬莊村史道洛夫婦墓	寧夏回族自治區固原博物館
433	彩繪描金陶鎮墓獸	唐	寧夏固原市開城鎮小馬莊村史道洛夫婦墓	寧夏回族自治區固原博物館
434	彩繪泥鎮墓獸	唐	新疆吐魯番市阿斯塔那224號墓	新疆維吾爾自治區博物館
435	彩繪泥鎮墓獸	唐	新疆吐魯番市阿斯塔那216號墓	新疆維吾爾自治區博物館
436	陶十二生肖俑	唐	陝西西安市	陝西歷史博物館
438	彩繪泥鷄頭俑	唐	新疆吐魯番市阿斯塔那216號墓	新疆維吾爾自治區博物館
438	彩繪泥豬頭俑	唐	新疆吐魯番市阿斯塔那216號墓	新疆維吾爾自治區博物館
439	陶人首鳥身俑	唐	河北定州市南關	河北省定州市博物館
439	陶人首牛頭水注	唐	新疆和田市約特干遺址	新疆維吾爾自治區博物館
440	鎏金銅龍	唐	陝西西安市	陝西歷史博物館
440	銅坐龍	唐	北京豐臺區史思明墓	首都博物館
441	三彩女俑	渤海國	吉林和龍市龍頭山墓群	吉林省延邊朝鮮自治州博物館
441	石獅	渤海國	吉林敦化市貞惠公主墓	吉林省博物院

五代十國至元（公元九〇七年至公元一三六八年）

頁碼	名稱	時代	發現地	收藏地
442	石浮雕青龍	五代十國·吳越	浙江杭州市施家山吳漢月墓	
442	陶男女侍俑	五代十國·吳越	江蘇蘇州市七子山九龍塢	江蘇省蘇州博物館
443	彩繪陶文官俑	五代十國·閩	福建福州市劉華墓	中國國家博物館
443	彩繪陶高髻女俑	五代十國·閩	福建福州市劉華墓	中國國家博物館
444	彩繪陶老人俑	五代十國·閩	福建福州市劉華墓	福建博物院
444	石雕文官立像	五代十國·前蜀	四川成都市王建永陵	
445	彩繪石雕王建坐像	五代十國·前蜀	四川成都市王建永陵	四川博物院
446	石雕神將半身像	五代十國·前蜀	四川成都市王建永陵	
447	彩繪貼金石雕舞伎	五代十國·前蜀	四川成都市王建永陵	
447	彩繪貼金石雕樂伎	五代十國·前蜀	四川成都市王建永陵	
448	彩繪貼金石雕樂伎	五代十國·前蜀	四川成都市王建永陵	
448	彩繪貼金石雕樂伎	五代十國·前蜀	四川成都市王建永陵	

頁碼	名稱	時代	發現地	收藏地
449	石雕武士像	五代十國・南唐	江蘇南京市江寧區祖堂山李昇 欽陵	南京博物院
449	彩繪陶女立俑	五代十國・南唐	江蘇南京市江寧區祖堂山李昇 欽陵	南京博物院
450	彩繪陶女舞俑	五代十國・南唐	江蘇南京市江寧區祖堂山李昇 欽陵	中國國家博物館
450	彩繪陶女舞俑	五代十國・南唐	江蘇南京市江寧區祖堂山李昇 欽陵	故宮博物院
451	彩繪陶男舞俑	五代十國・南唐	江蘇南京市江寧區祖堂山李昇 欽陵	南京博物院
451	彩繪陶男舞俑	五代十國・南唐	江蘇南京市江寧區祖堂山李昇 欽陵	故宮博物院
452	陶人首魚身俑	五代十國・南唐	江蘇南京市江寧區祖堂山李昇 欽陵	南京博物院
452	白釉黑花瓷虎形枕	遼	遼寧朝陽市龍城區西大營子鎮	遼寧省博物館
453	石雕力士像	遼	內蒙古呼和浩特市	內蒙古博物院
453	瓷胡人騎獅俑	遼	內蒙古敖漢旗薩力巴鄉	內蒙古自治區敖漢旗博物館
454	陶男俑	遼	北京昌平區南口鎮陳莊村	北京市昌平區文物管理所
454	陶女俑	遼	北京昌平區南口鎮陳莊村	北京市昌平區文物管理所
455	石臥羊	北宋	河南鞏義市宋太宗永熙陵	
455	石瑞獸	北宋	河南鞏義市宋太宗永熙陵	
456	石人與石馬	北宋	河南鞏義市宋真宗永定陵	
457	石使臣立像	北宋	河南鞏義市宋真宗永定陵	
458	石獅	北宋	河南鞏義市宋真宗永定陵	
459	石瑞禽	北宋	河南鞏義市宋英宗永厚陵	
460	石文臣立像	北宋	河南鞏義市宋神宗永裕陵	
461	石獅	北宋	河南鞏義市宋神宗永裕陵	
462	石獅	北宋	河南鞏義市宋神宗永裕陵	
463	石象與馴象人	北宋	河南鞏義市宋哲宗永泰陵	
464	石瑞禽	北宋	河南鞏義市宋哲宗永泰陵	
465	石武士俑	北宋	河南方城縣鹽店	中國國家博物館
466	石女主人及侍者俑	北宋	河南方城縣金湯寨村	河南博物院
468	陶捧罐人	北宋	河北定州市	河北省定州市博物館
468	素胎女坐俑	北宋	江西景德鎮市	江西省博物館
469	彩繪瓷男俑	北宋	江西景德鎮市宋墓	江西省博物館
469	彩繪瓷侍吏俑	北宋	江西景德鎮市宋墓	江西省博物館
470	瓷牽馬俑	北宋	江西景德鎮市	江西省博物館
471	瓷藥王像	北宋		故宮博物院
471	綠釉瓷相撲小兒	北宋		河南博物院
472	黑白釉瓷轎	北宋	河北定州市靜志寺	河北省定州市博物館
472	彩繪陶力士俑	北宋	江蘇溧陽市竹簧李彬夫婦墓	江蘇省鎮江博物館

頁碼	名稱	時代	發現地	收藏地
473	陶蹲獅	北宋	河北定州市定州窯遺址	河北省定州市博物館
473	瓷臥虎	北宋	江西景德鎮市宋墓	江西省博物館
474	瓷雙鳧	北宋	江西景德鎮市宋墓	江西省博物館
474	瓷玄武	北宋	江西南昌市	江西省博物館
475	石雕力士支座	西夏	夏銀川市西夏陵區7號陵	寧夏博物館
475	石馬	西夏	寧夏銀川市西夏陵區177號墓	寧夏博物館
476	鎏金銅牛	西夏	寧夏銀川市西夏陵區177號墓	寧夏博物館
476	石狗	西夏	寧夏銀川市西夏陵區78號墓	寧夏博物館
477	石武將像	金	原立于吉林舒蘭市小城子完顏希尹墓	吉林省博物院
477	石文吏像	金	原立于吉林舒蘭市小城子完顏希尹墓	吉林省博物院
478	彩繪陶男侍俑	金	河南焦作市新李封村	河南博物院
478	彩繪陶女侍俑	金	河南焦作市新李封村	河南博物院
479	彩繪瓷男立俑	金	山東曲阜市楊家院村	山東省博物館
479	彩繪瓷女立俑	金	山東曲阜市楊家院村	山東省博物館
480	陶塑郯子鹿乳奉親	金	山西稷山縣馬村4號墓	山西省金墓博物館
481	陶塑閔損單衣順母	金	山西稷山縣馬村4號墓	山西省金墓博物館
481	陶塑郭巨埋兒孝母	金	山西稷山縣馬村4號墓	山西省金墓博物館
482	陶塑魯義姑弃子救侄	金	山西稷山縣馬村4號墓	山西省金墓博物館
483	磚雕墓主人像	金	山西稷山縣馬村4號墓	山西省金墓博物館
484	磚雕戲臺與戲俑	金	山西侯馬市董明墓	山西省考古研究所
485	磚雕雜劇人物	金	山西稷山縣苗圃金墓	山西省考古研究所
486	磚雕樂伎	金	山西新絳縣澤掌鎮北蘇村金墓	山西省新絳縣博物館
486	磚雕樂伎	金	山西新絳縣澤掌鎮北蘇村金墓	山西省新絳縣博物館
487	磚雕舞伎	金	山西新絳縣澤掌鎮北蘇村金墓	山西省新絳縣博物館
488	磚雕吹笛樂俑	金	山西襄汾縣永固村金墓	山西博物院
488	磚雕舞伎俑	金	山西襄汾縣永固村金墓	山西博物院
489	磚雕侍女俑	金	山西孝義市下吐京村金墓	山西博物院
489	石踞虎	金	原立于吉林舒蘭市小城子完顏希尹墓	吉林省博物院
490	石雕雲龍紋抱柱	金	北京房山區金世宗興陵	首都博物館
490	石坐龍	金	北京房山區金陵	首都博物館
491	銅坐龍	金	黑龍江哈爾濱市阿城區上京會寧府遺址	黑龍江省博物館
492	石文臣像	南宋	浙江寧波市鄞州市東錢湖鎮上水村史漸墓	
492	石武士像	南宋	浙江寧波市鄞州市東錢湖鎮上水村史漸墓	
493	彩繪石楊粲坐像	南宋	貴州遵義市紅花崗區深溪鎮楊粲墓	貴州省博物館

頁碼	名稱	時代	發現地	收藏地
494	石文官像	南宋	貴州遵義市紅花崗區深溪鎮楊粲墓	貴州省博物館
494	石武士像	南宋	貴州遵義市紅花崗區深溪鎮楊粲墓	貴州省博物館
495	石女官像	南宋	貴州遵義市紅花崗區深溪鎮楊粲墓	貴州省博物館
495	石進貢人	南宋	貴州遵義市紅花崗區深溪鎮楊粲墓	貴州省博物館
496	瓷老人俑	南宋	安徽休寧縣	安徽省博物館
496	瓷人頭像	南宋	浙江龍泉市大窯遺址	浙江省博物館
497	陶哀泣俑	南宋	江西鄱陽縣	江西省博物館
497	彩繪瓷男戲俑	南宋	江西鄱陽縣	江西省博物館
498	素胎戲俑	南宋	江西鄱陽縣	江西省博物館
498	彩釉泥孩兒	南宋	江蘇鎮江市五條街	江蘇省鎮江博物館
499	木文侍俑	南宋		南京博物院
499	瓷鎮墓武士俑	南宋	安徽休寧縣	安徽省博物館
500	磚雕吹笙女子	南宋	陝西洋縣彭杲墓	陝西省洋縣文物博物館
500	磚雕彈琵琶女子	南宋	陝西洋縣彭杲墓	陝西省洋縣文物博物館
501	石雕帝王像	元	內蒙古正藍旗桑根達來鎮羊群廟祭祀遺址	內蒙古博物院
501	陶漢裝男俑	元		內蒙古博物院
502	陶牽馬男俑	元		內蒙古博物院
502	陶立俑	元		故宮博物院
503	紅釉瓷老人俑	元	江西景德鎮市	江西省博物館
503	陶色目人俑	元	山東濟南市祝甸	山東省博物館
504	磚雕舞蹈俑	元	河南焦作市西馮封村	河南博物院
505	磚雕吹笛童俑	元	河南焦作市西馮封村	河南博物院
505	磚雕吹排簫童俑	元	河南焦作市西馮封村	河南博物院
506	磚雕吹笛童俑	元	河南焦作市西馮封村	河南博物院
507	磚雕拍鼓童俑	元	河南焦作市西馮封村	河南博物院
507	磚雕擊拍板童俑	元	河南焦作市西馮封村	河南博物院
508	磚雕捧壺童俑	元	河南焦作市西馮封村	河南博物院
508	銅獻果品使者像	元	內蒙古包頭市	內蒙古博物院
509	陶牽馬俑和馬	元	陝西戶縣賀氏墓	陝西歷史博物館
509	銅牦牛	元	甘肅天祝藏族自治縣哈溪鎮	甘肅省天祝藏族自治縣博物館
510	石翼馬	元	福建福州市新店鎮西壠村胭脂山元墓	福建省福州市文物考古工作隊
510	陶龍	元	陝西西安市元墓	陝西歷史博物館

明清（公元一三六八年至公元一九一一年）

頁碼	名稱	時代	發現地	收藏地
511	石控馬官像	明	安徽鳳陽縣明皇陵	
512	石文官像	明	安徽鳳陽縣明皇陵	
513	石虎	明	安徽鳳陽縣明皇陵	
513	石羊	明	安徽鳳陽縣明皇陵	
514	石象	明	江蘇南京市明孝陵	
515	石獅	明	江蘇南京市明孝陵	
516	石文臣 武將 宮人像	明	江蘇盱眙縣明祖陵	
517	石獅	明	江蘇盱眙縣明祖陵	
518	石馬	明	江蘇盱眙縣明祖陵	
519	石武將像	明	北京昌平區十三陵	
520	石象	明	北京昌平區十三陵	
521	石駱駝	明	北京昌平區十三陵	
522	石獅	明	北京昌平區十三陵	
522	石麒麟	明	北京昌平區十三陵	
523	石牌坊基座	明	北京昌平區十三陵	
524	石勛臣像	明	湖北鍾祥市明顯陵	
524	石武將像	明	湖北鍾祥市明顯陵	
525	石神獸	明	河南新鄉市明潞簡王墓	
525	石麒麟	明	河南新鄉市明潞簡王墓	
526	石獅	明	北京天安門	
527	石文官像	明	浙江杭州市岳飛墓	
528	釉陶武士俑	明	四川成都市鳳凰山朱悅墓	中國社會科學院考古研究所
529	釉陶儀仗俑	明	四川成都市鳳凰山朱悅墓	中國社會科學院考古研究所
529	銅俑	明	河南靈寶市南營	河南博物院
530	鎏金銅玄武	明	原置湖北丹江口市武當山	湖北省博物館
531	石文官像	後金		遼寧省撫順市元帥林文物管理中心
531	石武將像	後金		遼寧省撫順市元帥林文物管理中心
532	石象	後金	遼寧瀋陽市福陵	遼寧省瀋陽市東陵公園
532	石駱駝	後金	遼寧瀋陽市福陵	遼寧省瀋陽市東陵公園

石蹲獅

隋

河南洛陽市含元殿遺址出土。
高96厘米。
前肢直挺，後腿屈蹲。前胸寬闊厚
實，腰以下漸勁瘦。
現藏河南省洛陽古代藝術館。

隋唐（公元五八一年至公元九〇七年）

石浮雕雙龍欄板
隋
河北趙縣安濟橋址出土。
高84.5、長212厘米。
二龍對穿岩穴，回首而望。
現藏中國國家博物館。

石浮雕雙龍獻珠欄板
隋
河北趙縣安濟橋址出土。
高86.5、長228厘米。
二龍相向，龍軀蟠屈，後肢一縮一伸，各舉一前足，右
龍托珠，左龍持花。
現藏河北省趙縣趙州橋博物館。

石浮雕獸面欄板
隋
河北趙縣安濟橋址出土。
高90、長220厘米。
獸面雙耳外張，額上有角似牛，嘴鼻則如獅子。
現藏河北省趙縣趙州橋博物館。

隋唐（公元五八一年至公元九〇七年）

石守門俑

隋

山東嘉祥縣出土。

高96厘米。

俑頭戴小帽，雙手按環首劍立于胸前。身着交領短袍，
寬袖，腰束帶。

現藏山東省嘉祥縣文物局。

陶武士俑

隋

陝西西安市李静訓墓出土。

高34厘米。

俑戴盔披甲，腰束帶，下着褲，足穿靴。左手按長盾，
盾脊微凸，中心繪一黑彩獸面飾。

現藏中國國家博物館。

釉陶武士俑

隋

陝西西安市長安區佳里村出土。

高67厘米。

武士戴盔着甲，足蹬長靴。右手叉腰，左手握拳。

現藏陝西省西安市文物保護考古所。

釉陶舞女俑

隋

陝西西安市長安區佳里村出土。

高25厘米。

俑頭梳雙高髻，頸上戴項飾，扭胯起舞。

現藏陝西省西安市文物保護考古所。

彩繪陶女俑

隋

陝西西安市出土。

右俑高33、左俑高34.5
厘米。

女俑高髮髻，肩披巾。

現藏陝西歷史博物館。

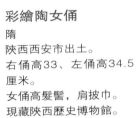

白釉陶武士俑
隋
河南安陽市張盛墓出土。
高72厘米。
頭戴武士帽，身着圓領寬袖長袍，腳踩蓮花座。雙手置于胸前，按長劍。
現藏河南博物院。

青瓷武士俑
隋
河南安陽市張盛墓出土。
高73厘米。
頭戴兜鍪，身着甲，腰束帶，下着褲，足蹬靴。右手平握，左手撫帶，站立于蓮座之上。
現藏河南博物院。

彩繪陶女僕侍俑群

隋

河南安陽市張盛墓出土。

高22－23厘米。

頭梳平髻，腦後插梳。着窄袖衣襦，外罩
長裙。多爲綠衣紅裙。手中分別持瓶、
盤、盆、碗、洗、勺、果盒等日用器物。

現藏河南博物院。

彩繪陶伎樂俑群

隋

河南安陽市張盛墓出土。

高17－19厘米。

伎樂均頭梳平髻。身着長裙，外穿罩衣，作踞坐演奏
狀，除二樂器已失外，其餘六俑分別持琵琶、觱篥、笙
篌、笛、鈸和排簫。

現藏河南博物院。

陶胡俑

隋

河南安陽市張盛墓出土。

高27厘米。

俑着翻領長袍，腰束帶，右手持物。

現藏河南博物院。

彩繪陶小憩女俑

隋

河南洛陽市中州大渠出土。

高11.3厘米。

女俑頭戴軟巾，身着窄袖長裙，右手托腮，作小憩狀。

現藏河南博物院。

陶按盾武士俑

隋

安徽合肥市杏花村五里崗出土。
高52厘米。
頭戴盔，肩披披風，身穿鎧甲，胸前佩橢圓形護胸，下繫腿裙，鎧甲下緣有兩枚小鈴，右手按長形盾牌，左手握拳，原執有兵器。
現藏安徽省博物館。

彩繪陶女侍俑

隋

安徽合肥市杏花村五里崗出土。
高23.7厘米。
雙手持袋搭于左肩，面露微笑。
現藏安徽省博物館。

陶女侍俑

隋

安徽合肥市杏花村五里崗出土。

高25厘米。

女俑雙手捧鉢，低頭微笑。

現藏安徽省博物館。

陶文官俑

隋

湖北武漢市武昌區周家大灣出土。

高65厘米。

頭戴方幘，上穿寬袖衣，下着曳地裳。腰束寬帶，脚穿方口鞋。

現藏中國國家博物館。

彩繪陶猴相俑

隋

湖北武漢市武昌區周家大灣出土。

高31.8厘米。

俑頭戴峨冠，上着直袗廣袖袍，下穿
長裳。席地而坐，右手抱一猴。

現藏中國國家博物館。

隋唐（公元五八一年至公元九〇七年）

陶女侍俑

隋

湖北武漢市武昌區周家大灣出土。

高54.2厘米。

頭綰髮髻分垂至耳，上身着右衽寬袖衣，内穿圓領窄袖衫，腰繫拖地長裙，足穿翹尖雲頭履。

現藏中國國家博物館。

青瓷武士俑

隋

湖北武漢市出土。

高63.3厘米。

頭戴魚鱗甲片兜鍪，身穿明光鎧，頸部有盆領。兩手拱于腹部，按長盾，盾周沿有金釘圓泡，中間排列着小朵花。

現藏中國國家博物館。

彩繪陶騎馬女俑

隋

湖北武漢市武昌區桂子山出土。

高37.5厘米。

頭梳雙髻，身穿圓領窄袖長衫，下着褲，腰束帶，脚穿
尖頭履。馬全身鞍勒轡飾俱全。

現藏中國國家博物館。

隋唐（公元五八一年至公元九〇七年）

彩繪陶牽馬胡俑（上圖）
隋
湖北武漢市武昌區何坡山52號墓出土。
高31.5厘米。
俑穿大翻領緊袖長袍，下褲過膝，前襟右衽，腰部綰
結，腳穿長靴。馬有轡勒、鞍具等，臀後裝飾寄生。
現藏湖北省博物館。

彩繪陶炊事俑
隋
湖北武漢市武昌區馬坊山22號墓出土。
廚俑高14、吹火俑高11、竈高14.3厘米。
竈長方形，設有竈門、隔火牆和烟囪。一女俑做炊事，
一女俑吹火。
現藏湖北省博物館。

陶持杖老人俑

隋
湖南長沙市赤崗冲4號墓出土。
高37.5厘米。
頭戴冠，冠上有一孔用以貫簪，身穿大袖短褐，束胸，
下着大口褲，脚上穿芒鞋。
現藏湖南省博物館。

彩繪陶文吏俑

隋
高60厘米。
鬍鬚滿頰，雙手拱于胸前。
現藏故宮博物院。

隋唐（公元五八一年至公元九〇七年）

釉陶武士俑

隋

高74.3厘米。

頭戴盔帽，身穿披風式外衣，頜部留有長鬚。

現藏上海博物館。

彩繪陶武士俑

隋

高49厘米。

頭戴獸盔，身着鎧甲，下着長裙。

現藏故宮博物院。

陶女舞俑
隋
高25.6厘米。
女俑揚袖作舞蹈狀。
現藏上海博物館。

彩繪陶彈琵琶女俑
隋
高25.9厘米。
身着窄袖襦衫，束長裙，雙手彈奏琵琶。
現藏上海博物館。

陶捧罐女俑

隋

高26.5厘米。

頭綰髮髻，身着小袖長裙。雙手捧一小罐。

現藏上海博物館。

陶人首鳥身俑

隋

安徽合肥市杏花村五里崗出土。

高29厘米。

頭和上身爲年輕女子形象，雙手攏于袖中，頭挽雙髻，腰以下爲鳥形，長尾高翹，腿粗爪健。

現藏安徽省博物館。

陶母子羊（上圖）

隋

安徽合肥市杏花村五里崗出土。

高9.5、底座長14.5厘米。

小羊緊緊依偎母羊，母羊回首而望。

現藏安徽省博物館。

陶母豬哺崽

隋

安徽合肥市杏花村五里崗出土。

高4.5、直徑17.3厘米。

母豬脊瘦腹肥，仔豬拱于豬腹下，伸嘴吮乳。

現藏安徽省博物館。

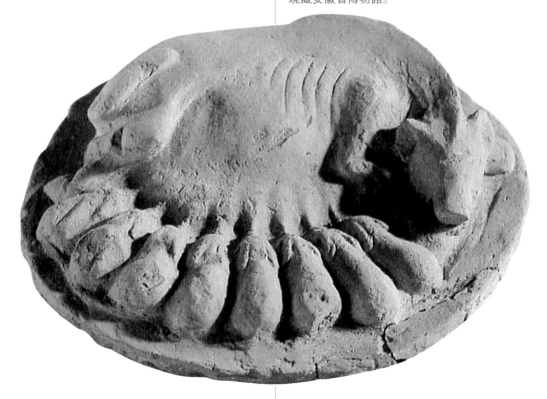

隋唐（公元五八一年至公元九〇七年）

陶卧犬

隋

高5.5、長9.6厘米。

伸前肢，屈後腿，尾搭于背上，直頸昂首，張口竪耳。

現藏河南博物院。

青瓷生肖俑

隋

湖北武漢市武昌區桂子山出土。

高15.3—16.5厘米。

三俑均着衣，持笏。

現藏中國國家博物館。

白瓷人面鎮墓獸（右圖）
隋
河南安陽市張盛墓出土。
高48.5厘米。
頭上生角，項後出戟，背部有鬃毛，短尾，獸爪。
現藏河南博物院。

白瓷獅面鎮墓獸
隋
河南安陽市張盛墓出土。
高50厘米。
頭有雙角，項後出戟，背有鬃毛。
現藏河南博物院。

隋唐（公元五八一年至公元九○七年）

石獅

唐

原立于陝西三原縣永康陵前。

高267厘米。

永康陵爲武德元年（公元618年）唐高祖李淵爲其祖父
李虎而建。

獅張口而吼。

現藏陝西省西安碑林博物館。

石犀

唐

原立于陝西三原縣唐高祖獻陵前。

高238、長337、寬116厘米。

獻陵爲唐高祖李淵之陵，建于貞觀九年（公元635年）。

犀牛軀體碩壯，滿身鱗甲，四肢堅實有力。用粗壯綫條勾勒犀牛皮膚的褶皺。前足底板上刻有"高祖懷遠之德"。

現藏陝西省西安碑林博物館。

隋唐（公元五八一年至公元九〇七年）

石虎

唐

原立于陝西三原縣唐高祖獻陵前。

高205、長253厘米。

虎站立前視。

現藏陝西省西安碑林博物館。

石獅

唐

原立于陝西禮泉縣唐太宗昭陵前。

高179、長345厘米。

昭陵爲唐太宗李世民之陵，建于貞觀十年至貞觀二十三年（公元636–649年）。

獅側立一武士，已殘。

現藏陝西省西安碑林博物館。

石獅

唐

原立于陝西禮泉縣唐太宗昭陵前。

高179、長345厘米。

獅子張口立目，面目凶猛。

現藏陝西省西安碑林博物館。

石翼馬

唐

陝西禮泉縣唐太宗昭陵石刻。

馬身前部兩側有翼，馬腹下有雲朵裝飾。

昭陵六駿

唐

原置陝西禮泉縣唐太宗昭陵陵前祭壇。

高171–175厘米。

六駿爲唐太宗生前喜愛的六匹坐騎，分別名特勒驃、青騅、什伐赤、颯露紫、拳毛騧、白蹄烏。其中颯露紫和拳毛騧現藏美國賓西法尼亞大學博物館，其餘四件現藏陝西省西安碑林博物館。

昭陵六駿之颯露紫

隋唐（公元五八一年至公元九〇七年）

昭陵六駿之拳毛騧

昭陵六駿之白蹄烏

昭陵六駿之特勒驃

隋唐（公元五八一年至公元九〇七年）

昭陵六駿之青騅

昭陵六駿之什伐赤

石侍臣像

唐

陝西乾縣梁山唐高宗乾陵石刻。

通座高410、底座寬286厘米。

乾陵爲唐高宗李治和武則天的合葬陵，建于永隆元年至嗣聖元年（公元680-684年）。

侍臣身軀高大，雙手當胸持長劍，劍端拄地。

石翼馬

唐

陝西乾縣梁山唐高宗乾陵石刻。

通座高335厘米。

馬身體渾厚結實，雙翼綫條流暢優美。

石駝鳥

唐

陝西乾縣梁山唐高宗乾陵石刻。

通高180厘米。

駝鳥圓首、尖嘴、長頸、尾上翹，羽毛下捲使尾巴呈圓
形，静立于長方形底板之上。

隋唐（公元五八一年至公元九〇七年）

石獅

唐

陝西咸陽市陳家村順陵石刻。

通座高415、長412厘米。

順陵爲武則天之母楊氏墓，天授元年（公元690年）武則天改其母墓爲陵。

雙目圓睜外突，鼻隆口闊，軀體碩壯，昂首挺胸，緩步慢行。

石天禄

唐

陝西咸陽市陳家村順陵石刻。

高415、長420厘米。

頭似鹿，體如牛，足爲馬蹄，長尾曳地，前肢上部雕以
捲雲紋雙翼。

隋唐（公元五八一年至公元九〇七年）

石蹲獅

唐

陝西蒲城縣唐睿宗橋陵石刻。

通座高295厘米。

橋陵爲唐睿宗李旦之陵，建于開元四年（公元716
年）。

獅子肌肉强健，四爪有力。

石鞍馬

唐

陝西蒲城縣唐睿宗橋陵石刻。

通座高224、底座長191厘米。

垂首伫立，頸上鬃毛短平，尾巴粗長，四肢粗壯。彎勒、鞍韉俱全。鞍韉均有杏葉狀垂飾物。

石天祿

唐

陝西蒲城縣唐睿宗橋陵石刻。

通座高340、底座長280厘米。

天祿口露獠牙，四肢短粗，腹下浮雕雲彩紋。

隋唐（公元五八一年至公元九〇七年）

石鴕鳥
唐
陝西蒲城縣唐睿宗橋陵石刻。
通高232厘米。
鴕鳥腿粗爪利，曲頸回首，全身細雕羽毛。

石翼馬

唐

陝西蒲城縣唐玄宗泰陵石刻。

泰陵爲唐玄宗李隆基之陵，建于寶應年間（公元762-763年）。

翼馬長鬣與雙肩飛翅相連，腹下不鑿空，飾流雲紋。

隋唐（公元五八一年至公元九〇七年）

石侍臣像

唐

陝西禮泉縣唐肅宗建陵石刻。

建陵爲唐肅宗李亨之陵，建于寶應二年（公元763年）。

侍臣爲文臣形象，雙手持笏板。

石侍臣像

唐

陝西禮泉縣唐肅宗建陵石刻。

侍臣爲武臣形象，雙手按長劍。

石翼馬
唐
陝西涇陽縣嵯峨山唐德宗崇陵
石刻。
通座高304、底座長183厘米。
崇陵爲唐德宗李適之陵，建于
元和初年（公元806年）。
馬垂首肅立，雙翼美化爲捲雲
狀紋飾。馬腹下雕以雲紋。

石卧牛
唐
高79、長121厘米。
四肢蜷曲伏卧，軀體雄壯結實。
現藏陝西歷史博物館。

石跪羊

唐

陝西西安市東郊出土。

通高96、長82厘米。

羊爲跪姿，身上鬈毛刻畫細緻。

現藏陝西省西安碑林博物館。

彩繪貼金石雕武士俑
唐
陝西西安市楊思勖墓出土。
高40.3厘米。
頭戴幞頭，全身披挂兩套戰
具，包括彎刀、弓和劍等。
現藏中國國家博物館。

彩繪貼金石雕侍衛俑

唐

陝西西安市楊思勖墓出土。

高40.3厘米。

腰兩側均有佩戴，身上有劍、弓、彎刀、弓袋與胡祿
(箭筒)等物。

現藏中國國家博物館。

石雕持海東青俑

唐

遼寧朝陽市柴油機廠住宅樓工地唐墓甬道壁龕中出土。

高109厘米。

辮髮，着袍，腰束帶，懸挂佩飾。左手持海東青，爲東
北民族人物形象。

現藏遼寧省博物館。

彩繪陶文官俑

唐

陝西禮泉縣張士貴墓出土。

高68厘米。

頭戴高冠，身着寬袖長衫，衣襟、領袖和前胸均飾以彩色花紋圖案。下身穿白色寬鬆長褲。脚蹬如意形靴。

現藏陝西歷史博物館。

彩繪陶武官俑

唐

陝西禮泉縣張士貴墓出土。

高73厘米。

戴盔披甲，腰間束帶。下穿長裙。

現藏陝西歷史博物館。

隋唐（公元五八一年至公元九○七年）

彩繪文官俑

唐

陝西禮泉縣李貞墓
出土。

高114厘米。

頭戴高冠，身穿翻領
交襟廣袖長衣，腰
束帶，足蹬雲頭翹
靴。雙手執璋拱
于胸前。

現藏陝西省昭
陵博物館。

彩繪武官俑

唐

陝西禮泉縣李貞墓出
土。

高114厘米。

頭戴鶡冠，身穿翻
領交襟廣袖長衣，
腰束帶，足蹬雲頭
翹靴。雙手執圭
拱于胸前。

現藏陝西省昭陵
博物館。

三彩文官俑

唐

陝西西安市鮮于庭誨墓出土。

高72厘米。

頭戴高冠，雙手于胸前持笏板。

現藏中國國家博物館。

三彩文官俑

唐

陝西西安市灞橋區出土。

高87厘米。

戴冠，着圓領寬袍，下身穿褲，爲下級文官。

現藏陝西省西安市文物保護考古所。

陶武官俑

唐

陕西西安市陕棉十厂唐墓出土。

高73厘米。

头戴武弁，身穿交领宽袖长袍，外罩裲裆甲，腰系带，脚蹬乌靴。

现藏陕西省考古研究院。

三彩武官俑

唐

陕西西安市唐墓出土。

高49.2厘米。

头戴冠，两眼圆睁，高鼻深目，满耳络腮胡，着绿色长袍，双手执笏于胸前。

现藏陕西省西安市文物保护考古所。

三彩武士俑

唐

陝西西安市獨孤思貞墓出土。

高89厘米。

武士頭戴盔，張嘴，瞪視前方，身着明光甲，立于山石座上。

現藏中國國家博物館。

三彩武士俑

唐

陝西西安市雁塔區康文通墓出土。

高120厘米。

鬈髮，眉弓凸起，雙眼圓睜，張口齒露，雙耳較大。釉上有彩繪描金。

現藏陝西省西安市文物保護考古所。

三彩武士俑

唐

陕西西安市東郊出土。

高85.7厘米。

頭戴虎頭戰帽，身穿甲衣長袍，肩披虎頭鎧，腰繫雙條戰帶，足蹬高靴。

現藏陝西省西安市文物保護考古所。

彩繪貼金陶胡人武士俑

唐

陕西西安市長安區南里王村唐墓出土。

高59厘米。

頭戴黑色高螺旋狀帶護耳護面盔，内穿帶連珠團花護領的紅色長袍，中着戰袍，外罩明光鎧。

現藏陝西省考古研究院。

三彩騎馬射箭俑

唐

陝西乾縣懿德太子李重潤墓出土。

高36.5、馬長29.5厘米。

男子張弓搭箭，欲射空中飛鳥。

現藏陝西歷史博物館。

三彩騎馬狩獵俑

唐
陝西乾縣出土。
高37厘米。
騎俑坐于馬上作持鷹喂食狀，馬背上有一獵物。
現藏中國國家博物館。

彩繪陶獵騎胡俑

唐

陝西乾縣永泰公主李仙蕙墓出土。

高30.3厘米。

俑深目高鼻，鬍鬚連鬢，戴幞頭，穿翻領窄袖服，跨騎
馬上，頭身扭向左側，左手作控狀，右手上揚作鞭狀。
馬尻上踞蹲一獵犬，昂首翹望。
現藏陝西歷史博物館。

隋唐（公元五八一年至公元九〇七年）

彩繪陶騎馬狩獵俑

唐
陝西西安市灞橋區唐金鄉縣主墓出土。
高33.5厘米。
俑爲女性，鞍後坐一猞猁。
現藏陝西省西安市文物保護考古所。

彩繪陶騎馬狩獵俑

陝西西安市灞橋區唐金鄉縣主墓出土。

高35.1厘米。

俑胡服黑靴，深目高鼻，濃鬚鬈曲。

跨下白馬鞍韉俱備，鞍後伏踞一豹。

現藏陝西省西安市文物保護考古所。

彩繪陶騎馬樂俑

唐

陝西西安市灞橋區唐金鄉縣主墓出土。

高37.7厘米。

女俑頭戴孔雀冠，身着圓領窄袖綉花長袍，足蹬黑靴，手持腰鼓。

現藏陝西省西安市文物保護考古所。

彩繪陶騎馬樂俑
唐
陝西西安市灞橋區唐金鄉縣主墓出土。
高36厘米。
樂俑懷抱箜篌。
現藏陝西省西安市文物保護考古所。

三彩騎馬執鼓俑

唐

陝西高陵縣李晦墓出土。

高35厘米。

騎俑頭戴黑色風帽，身穿豆青色圓立領窄袖
袍衫，豆青褲，腰繫黑帶，腳蹬烏靴。黃驃
馬，短剪鬃，墨綠勾勒絡轡，黑鞍赭韉。
現藏陝西省考古研究院。

彩繪陶騎馬胡俑

唐

陝西禮泉縣昭陵韋貴妃墓出土。

高49.7厘米。

胡俑端坐馬上，雙手呈握繮狀。
現藏陝西省昭陵博物館。

隋唐（公元五八一年至公元九○七年）

三彩騎馬俑

唐

陝西西安市未央區出土。

高38、長52厘米。

騎者似女性，頭髮中分，盤于兩側。馬神態矯健，四蹄騰空。

現藏陝西省西安市文物保護考古所。

三彩馬及牽馬俑

唐

陝西西安市中堡村唐墓出土。

俑高28.5、馬高41厘米。

俑頭戴幞頭，手作牽引繮繩狀。

現藏陝西歷史博物館。

隋唐（公元五八一年至公元九〇七年）

三彩馬及牽馬俑

唐

陝西西安市鮮于庭誨墓出土。

俑高41、馬高54.6厘米。

俑頭包巾結於兩鬢，身穿黃色圓領窄袖長袍，內穿短
襦，足蹬長靴。白馬，全身佩挂精美華麗。

現藏中國國家博物館。

三彩騎馬女俑

唐

陝西禮泉縣李貞墓出土。

高35.2厘米。

頭戴綉花胡帽，身着黃衣綠裙，足穿羊頭靴。

現藏陝西省昭陵博物館。

彩繪釉陶騎馬女俑

唐

陝西禮泉縣鄭仁泰墓出土。

高37厘米。

頭戴十分別致的黑色凉帽，身着
白色長衫，外套綉花小襦，足蹬
黑色尖靴。下騎黃色彩釉五花
驄，以紅色點染，馬具齊備。

現藏陝西歷史博物館。

隋唐（公元五八一年至公元九○七年）

彩繪陶打馬球群俑（上圖）

唐

陝西西安市出土。

高29.7–32.7厘米。

現藏陝西歷史博物館。

彩繪陶牽駝胡俑

唐

陝西禮泉縣鄭仁泰墓出土。

駝高42.8、俑高35.2厘米。

胡人仰面而立，右手作牽駝狀。駱駝曲頸昂首，張口嘶鳴，背上置馱架，雙峰間挂大皮囊和其他物品。

現藏陝西歷史博物館。

陶侍女騎駝小憩俑

唐

陝西西安市韓森寨唐墓出土。

高73厘米。

侍女右臂放于駝峰上，頭枕右臂而眠。

現藏陝西省西安市文物保護考古所。

三彩騎駝俑

唐
陝西西安市鮮于庭誨墓出土。
高42.5厘米。
胡俑騎于駝背上，頭戴尖頂帽，身着
圓領窄袖衣，足穿黃色靴。左手下
垂，右手上舉，握拳作拉催駱駝狀。
現藏中國國家博物館。

彩繪陶騎駝胡俑

唐
陝西西安市灞橋區唐金鄉縣主墓出土。
高41厘米。
胡俑頭戴尖頂帽，身穿窄袖小褂，作催打駱駝狀。
現藏陝西省西安市文物保護考古所。

三彩駱駝載樂俑

唐

陝西西安市中堡村唐墓出土。

通高56.7厘米。

駱駝體格健壯，昂首挺胸，張口嘶鳴。奏樂俑盤腿坐于駝峰的氈毹之上，有的彈琵琶，有的吹笙，有的拿排簫等。中間有一歌舞女俑，頭梳驚鵠髻，身穿圓領長袍，面龐豐腴，神情安詳。

現藏陝西歷史博物館。

隋唐（公元五八一年至公元九〇七年）

三彩駱駝載樂俑

唐

陝西西安市鮮于庭誨墓出土。

高66.5厘米。

駝背墊菱格紋圓氈，氈上駝架鋪條紋長氈，中立一歌舞
男胡俑，周圍四人彈奏樂器。

現藏中國國家博物館。

彩繪陶牽駝胡俑
唐
陝西西安市出土。
高51厘米。
胡人頭戴幞頭，深目高鼻，身着長袍，雙手作牽駝狀。
現藏陝西省西安市文物局。

陶牽馬胡俑
唐
陝西西安市韓森寨唐墓出土。
高57厘米。
胡俑身穿開襟長袍，足踏長靴，腰挂半月形袋子。
現藏陝西省西安市文物保護考古所。

彩繪陶牽馬女俑
唐
陝西西安市灞橋區唐金鄉縣主墓出土。
高40厘米。
女俑頭髮中分，挽雙髻，腰繫帶。
現藏陝西省西安市文物保護考古所。

彩繪釉陶女立俑
唐
陝西禮泉縣鄭仁泰墓出土。
高37厘米。
俑頭梳罩刀半翻髻，身着紅條長裙，肩披藍色披巾。
現藏陝西省昭陵博物館。

彩繪陶女立俑
唐
陝西禮泉縣鄭仁泰墓出土。
高31厘米。
俑頭梳雙螺髻，身着長裙。
現藏陝西省昭陵博物館。

彩繪陶男裝女立俑
唐
陝西西安市機械化養鷄廠出土。
高46.5厘米。
俑頭戴幞頭，長髮外露。
現藏陝西省西安市文物保護考古所。

綠釉男裝女俑

唐

陝西西安市鮮于庭誨墓出土。

高46.8厘米。

俑頭梳烏蠻髻，身着男裝。

現藏中國國家博物館。

三彩女立俑

唐

陝西西安市鮮于庭誨墓出土。

高41.2厘米。

俑頭梳驚鵠髻，內着短襦，外罩開領窄袖長衣，繫曳地長裙，足穿翹尖軟鞋。

現藏中國國家博物館。

三彩女立俑

唐
陝西西安市中堡村唐墓出土。
高44.5厘米。
俑頭梳鳥蠻髻，拱手而立。
現藏陝西歷史博物館。

三彩女立俑

唐

陝西西安市中堡村唐墓出土。

高45厘米。

俑頭梳鬟髮垂髻，身穿藍地花上衣，內穿半臂，肩披長巾，下邊穿赭色長裙，腳蹬赭色尖頭履。

現藏陝西歷史博物館。

三彩女立俑

唐

陝西西安市出土。

高49.3厘米。

俑頭梳烏蠻髻，長裙曳地。

現藏陝西歷史博物館。

三彩女坐俑

唐

陝西西安市白家口出土。

高28.5厘米。

俑頭梳髻，着袒胸窄袖衫，下穿長裙，帔帛繞肩垂下，坐于一細腰圓凳上。

現藏中國國家博物館。

三彩女坐俑

唐

陝西西安市王家墳唐墓出土。

高48.5厘米。

俑頭梳高髻，內穿窄袖衣，外着花半臂，下穿綠地花長裙，端坐于束腰形座上。

現藏陝西歷史博物館。

陶女俑

唐

陕西西安市楊思勖墓出土。

高51厘米。

俑頭梳雙股高髻，身穿圓領男裝袍衫，足着烏皮六縫靴，腰繫革帶。

現藏中國國家博物館。

陶高雙髻女俑

唐

陕西西安市韓森寨唐墓出土。

高80.5厘米。

俑髮結雙高髻，身着長裙，足穿翹頭花履。

現藏陝西省西安市文物保護考古所。

陶錐髻女俑

唐

陝西西安市韓森寨唐墓出土。

高85.5厘米。

俑髮結圓錐形髮髻，身着長裙，足穿翹頭花履。

現藏陝西省西安市文物保護考古所。

陶蓮花髻女俑

唐

陝西西安市韓森寨唐墓出土。

高81厘米。

俑髮結四瓣蓮花形髮髻，身着長裙，足穿翹頭花履。

現藏陝西省西安市文物保護考古所。

彩繪陶女俑

唐
陝西西安市西北政法大學出土。
高45.9厘米。
女俑面相豐滿，身披長衣，雙手舉于胸前。
現藏陝西省西安市文物保護考古所。

彩繪陶女俑

唐
陝西西安市西北政法大學出土。
高44.8厘米。
女俑雙手舉于胸前，左手食指伸于袖外。
現藏陝西省西安市文物保護考古所。

彩繪陶偏髻女俑

唐

陝西西安市出土。

高43.4厘米。

頭梳偏髻，身穿長裙。

現藏陝西省西安市文物保護考古所。

彩繪陶女侍俑

唐

陝西西安市灞橋區唐金鄉縣主墓出土。

高43厘米。

俑頭梳雙髻，身穿圓領長衫。

現藏陝西省西安市文物保護考古所。

陶捧物女俑

唐

陝西西安市韓森寨唐墓出土。

高71.5厘米。

俑閉目，雙手作捧物狀。

現藏陝西省西安市文物保護考古所。

彩繪陶女舞俑

唐

陝西長武縣棗元鄉郭村出土。

高36.5厘米。

俑頭梳大雙鬟髻，腰繫短裙，裙下着三角形襠。足穿雲頭履。

現藏陝西省長武縣博物館。

彩繪陶男俑
唐
陝西禮泉縣新城長公主墓出土。
高30厘米。
俑頭戴風帽，身穿紅色翻領窄袖藍色短袍，白褲，腰束
黑帶。藍色艷麗奪目。
現藏陝西省考古研究院。

三彩男俑
唐
陝西西安市鮮于庭誨墓出土。
高45.3厘米。
俑頭戴襆頭，內着淺黃色圓領衫，外罩藍領淺黃色窄袖
長衣，腰束帶，右後側繫一革囊，足蹬青靴。
現藏中國國家博物館。

隋唐（公元五八一年至公元九〇七年）

黃釉説唱俑

唐
陝西禮泉縣鄭仁泰墓出土。
唱者高17.5厘米。
三人組成，中間一説唱老者，面部表情幽默。身旁兩
人，一人端坐吹笙，一人側身作擊彈狀。三人均頭戴巾
幘，身着袍服。
現藏陝西歷史博物館。

彩繪陶樂俑

唐
陝西西安市西郊出土。
高7.7-8厘米。
六人一組，均頭戴黑巾，身着長袍。持樂器者分別持琵
琶、橫笛、鼓、簫和排簫，中間一人作表演狀。
現藏陝西歷史博物館。

綠釉陶參軍戲俑

唐

陝西西安市鮮于庭誨墓出土。

左像高45.3、右像高45.5厘米。

兩俑均頭戴幞頭，幞頭分兩瓣，微向前傾，身穿綠衫，
衣襟中部出一尖角，下垂至兩足間，着長靴。兩人表情
滑稽，正在表演參軍戲（相當于現代的相聲）。

現藏中國國家博物館。

隋唐（公元五八一年至公元九〇七年）

三彩雜技俑

唐

陝西西安市唐墓出土。

高40.8厘米。

大力士頭上頂有兩組童子，每組三人。上部一組童子中，一童子雙腿直立于下面二童子肩上，身穿開襠褲，作撒尿狀。

現藏陝西省西安市文物保護考古所。

彩繪陶胡俑頭像

唐

陝西乾縣永泰公主李仙蕙墓出土。

殘高14.5厘米。

頭戴軟巾，束帶反折繫于額前。嘴寬唇厚，唇上鬍鬚八字上翹，表現出胡人男子的形象。

現藏陝西歷史博物館。

彩繪陶袒腹胡俑

唐
陝西西安市灞橋區唐金鄉縣主墓出土。
高41厘米。
俑絡腮鬍鬚，袒腹而立。
現藏陝西省西安市文物保護考古所。

陶大食行旅俑

唐
陝西西安市出土。
高27厘米。
俑戴尖頂帽，身穿高領窄袖長衣，腰束帶，下着褲、
靴，左手執壺，右手扶背袋。
現藏中國國家博物館。

陶昆侖奴俑

唐

陝西西安市出土。

高28厘米。

俑鬈髮，膚色較深，上身裸露，頸部及手腕戴圈飾。

現藏中國國家博物館。

彩繪陶黑人俑

唐

陝西長武縣棗元鄉郭村出土。

高25厘米。

俑鬈髮，黑皮膚，赤足，作舞蹈狀。

現藏陝西省長武縣博物館。

陶沐浴童子俑

唐

陝西西安市韓森寨唐墓出土。

高8.6厘米。

兩童子全裸，身體健壯，一邊洗澡，一邊嬉戲。

現藏陝西省西安博物院。

陶襁褓嬰兒俑（右圖）

唐

陝西西安市韓森寨唐墓出土。

高10.5厘米。

嬰兒頭戴風帽，胸前繫一圍簾，裹于三個花結的襁褓之中。

現藏陝西省西安博物院。

隋唐（公元五八一年至公元九〇七年）

三彩文官俑

唐

河南洛陽市出土。

高119厘米。

俑頭戴高冠，身穿廣袖黃袍，袍邊及袖口飾翠綠、粉白色釉，內有白裳，長垂至地，腰束帶，足蹬尖頭靴。現藏河南博物院。

三彩文吏俑

唐

河南洛陽市龍門安菩夫婦合葬墓出土。

高112厘米。

俑頭戴高冠，身着廣袖長袍，雙手執笏而立。現藏河南省洛陽市文物工作隊。

三彩武士俑

唐
傳河南洛陽市出土。
高87.5厘米。
武士戴盔着甲，立于方座上，左手叉腰，右手原應持
兵器。
現藏河南博物院。

三彩騎馬女俑

唐
河南洛陽市龍門安菩夫婦合葬墓出土。
高42厘米。
俑頭梳高髻，面塗白粉，身穿翻領緊袖長衫。
現藏河南省洛陽市文物工作隊。

隋唐（公元五八一年至公元九〇七年）

陶騎馬俑（右圖）
唐
河南洛陽市出土。
高28.5厘米。
騎俑戴風帽，穿斜領袍。馬軀高大結實。
現藏河南博物院。

彩繪騎馬俑
唐
河南洛陽市出土。
高36厘米。
騎俑跨騎馬上，戴幞頭，穿翻領窄袖上衣，下着褲，腰
繫帶。馬曲頸垂首，張口，披鞍韉。
現藏河南省洛陽博物館。

三彩騎馬吹排簫俑

唐

河南洛陽市出土。

高40厘米。

俑戴白色籠冠，身穿廣袖衣襦，雙手持排簫吹奏。

現藏河南博物院。

三彩丫髻侍女俑

唐

河南洛陽市出土。

高40厘米。

侍女頭梳丫髻，身穿窄袖短襦，雙手屈置胸前，下着長裙。

現藏河南省洛陽博物館。

黃釉陶女俑

唐

河南洛陽市出土。

高30.6厘米。

俑頭戴高冠，上身穿窄袖短襦，下着裙，雙手交置腹前。

現藏河南博物院。

陶女俑

唐

河南出土。

高37.5厘米。

俑頭梳墜鳥髻，身穿圓領寬袖裳裙，裙裾掩足背，微露翹頭靴尖。

現藏河南博物院。

三彩女坐俑

唐

河南洛陽市出土。

高26.7厘米。

坐俑以手置于左膝，坐姿自然，神情閑適。

現藏河南省洛陽市文物工作隊。

隋唐（公元五八一年至公元九○七年）

彩繪陶女舞俑

唐

河南孟津縣西山頭出土。
高32.4厘米。

俑頭挽高雙髻，面飾花
鈿。身穿大翻領半臂，內
套短衫，下著曳地長裙，
足穿綠色尖頭履。雙臂半
揚作舞蹈狀。

現藏河南省文物考古研究
所。

陶男立俑

唐

河南洛陽市戴令言墓出土。

高76.5厘米。

俑頭戴幞頭，身穿圓領窄袖短袍，腰束帶。

現藏故宮博物院。

三彩胡人侍立俑

唐

河南洛陽市唐墓出土。

高30厘米。

俑鬈髮盤頭，雙目內凹，鼻梁高聳，滿面絡腮鬍鬚，袒胸露乳。

現藏河南省洛陽博物館。

彩繪陶侏儒俑

唐

河南徵集。

高12.8厘米。

俑大頭，戴幞頭，身穿翻領窄袖胡裝，身材四肢皆短小。右手屈肘伸食指，作指點欲語狀。

現藏河南博物院。

陶小孩兒俑

唐

高4.4厘米。

俑盤膝坐荷花上，頭戴荷葉，右手高舉壓葉以防風吹，左手持物置腹前。

現藏河南博物院。

陶胡商俑（右圖）

唐

河南洛陽市出土。

高23.6厘米。

俑頭戴尖頂氈帽，身穿右衽翻領窄袖短袍，滿面絡腮鬍鬚。右手扶拉背囊，左手提壺，作躬腰行走狀。

現藏河南省洛陽博物館。

陶婦人騎駝俑

唐

山西黎城縣出土。

高80厘米。

駝峰上配皮鞍，鞍上坐一婦人。

現藏山西省黎城縣文博館。

陶騎駝胡俑

唐
山西長治市王琛墓出土。
高89.7厘米。
胡人深目濃眉，高鼻，絡腮鬍，身穿
翻領皮毛褊衣，腰束帶，繫一小香囊，
坐在橫搭于駝背的行囊上。
現藏中國國家博物館。

彩繪陶武士俑

唐

山西襄垣縣唐墓出土。

高27.2厘米。

武士頭戴虎皮紋兜鍪，身穿長袍，外披護肩胸的甲裝，腰繫黑色帶，足着黑色長靴，在身體右側佩一黑色小囊袋。雙手置于胸前，原似持物。

現藏山西省考古研究所。

彩繪陶武士俑背面

隋唐（公元五八一年至公元九〇七年）

陶哭泣俑

唐

山西長治市王琛墓出土。

高10.5厘米。

女俑俯身抱膝，似在哭泣。

現藏中國國家博物館。

三彩抱鴨壺女俑（左圖）

唐

山西長治市出土。

高33.4厘米。

女俑梳雙髻，半臂，雙手抱一鴨形壺。

現藏山西省考古研究所。

陶文吏俑

唐

河北定州市南關出土。

爲老年文官形象，背微駝，眉上聳，目下垂，八字鬚，
短鬚連鬢。雙手執笏板拱于胸前。

現藏河北省定州市博物館。

彩繪描金陶武士俑

唐

寧夏固原市開城鎮小馬莊村史道洛夫婦墓出土。

高83厘米。

武士頭戴翻緣盔，身着明光鎧，下着彩繪花紋圖案戰
裙，足蹬靴。

現藏寧夏回族自治區固原博物館。

彩繪陶胡人牽馬俑

唐

甘肅慶城縣慶城鎮穆泰墓出土。

俑高53、馬高47.5厘米。

牽馬俑頭戴尖頂帽，帽邊上捲，身着圓領窄袖長袍，腰
繫黑帶，足穿長靴。

現藏甘肅省慶城縣博物館。

彩繪陶牽駝黑人俑

唐

甘肅慶城縣慶城鎮穆泰墓出土。

俑高30、駝高58厘米。

俑頭扎包巾，耳戴耳墜，身着圓領窄袖短衫，下穿豹皮褲，足蹬黑靴。駱駝昂首嘶鳴，尾上翹。

現藏甘肅省慶城縣博物館。

彩繪陶女俑

唐

甘肅慶城縣慶城鎮穆泰墓出土。

高43.5厘米。

女俑頭梳鳳髻，上身穿對襟內衣，着緋色曳地長裙，足
蹬淡綠色翹頭履，拱手捧香囊，立于方形臺座上。

現藏甘肅省慶城縣博物館。

彩繪陶男俑

唐

甘肅慶城縣慶城鎮穆泰墓出土。

高59厘米。

俑爲老者形象，頭戴小冠，身着長衫，足穿如意履。

現藏甘肅省慶城縣博物館。

彩繪陶袒胸胡人俑
唐
甘肅慶城縣慶城鎮穆泰墓出土。
高50厘米。
俑身着對襟長袍，袒胸露腹，下穿白褲，足蹬黑靴。髭
鬚上翹，背手而立。
現藏甘肅省慶城縣博物館。

彩繪陶牽馬俑
唐
甘肅慶城縣慶城鎮穆泰墓出土。
高33厘米。
俑頭戴黑幞頭，身着圓領長袍，腰束帶，下擺撩起，足
穿黑靴。雙手作牽馬狀。
現藏甘肅省慶城縣博物館。

隋唐（公元五八一年至公元九〇七年）

彩繪陶雜戲俑

唐

甘肅慶城縣慶城鎮穆泰墓出土。

高48厘米。

俑頭戴黑色巾幘，身着長袍，足穿黑靴。身體扭曲，面部表情滑稽。

現藏甘肅省慶城縣博物館。

彩繪陶雜戲俑

唐

甘肅慶城縣慶城鎮穆泰墓出土。

高38.5厘米。

女俑髮如圓蓋，梳雙垂髻，身着圓領長袍。左臂曲肘舉于胸前，面部表情滑稽。

現藏甘肅省慶城縣博物館。

彩繪陶騎馬俑
唐
江蘇揚州市出土。
高59.3厘米。
騎者爲胡裝漢人形象，戴幞頭，穿窄袖上衣，
長褲，脚蹬靴。
現藏江蘇省揚州市唐城遺址文物保管所。

彩繪陶騎馬女俑（右圖）
唐
江蘇揚州市出土。
高56.3厘米。
女俑頭梳髻，肩披巾，穿窄袖衫，胸繫長裙。
現藏江蘇省揚州市唐城遺址文物保管所。

隋唐（公元五八一年至公元九〇七年）

彩繪陶舞俑

唐

江蘇揚州市城東鄉林莊唐墓出土。

高28厘米。

俑頭梳丫髻，上身着短衫，披帔帛，下身着長裙。雙臂殘失。

現藏江蘇省揚州博物館。

木男女立俑

唐

江蘇無錫市西漳寺頭沈巷皇甫雲卿墓出土。

男俑高27.2、女俑高25.3厘米。

男俑戴高冠，着寬袖長袍，雙手拱于胸前。女俑梳高髻，着圓領寬袖長袍，雙手拱于右側。

現藏江蘇省無錫市博物館。

陶老婦俑
唐
江蘇無錫市江溪陶典村墓葬出土。
殘高33.5厘米。
身穿交領袍，雙臂及足部殘失。
現藏江蘇省無錫市博物館。

青黃釉褐彩戲球童子俑
唐
江蘇常州市勞動東路出土。
高6.8厘米。
童子頭戴小圓帽，耳部裝飾三角形耳墜，右手握球貼于
胸前，左手持彎曲球棍扛在肩上。
現藏江蘇省常州博物館。

隋唐（公元五八一年至公元九〇七年）

陶武士俑

唐

湖北武漢市武昌區鉢盂山唐墓出土。

高31厘米。

武士頭戴盔帽，身着甲，腰束帶，足穿靴。唇上八字鬍上翹，下顎鬍鬚連腮，雙手當胸作持物狀。

現藏湖北省博物館。

陶武士俑

唐

湖北武漢市武昌區鉢盂山唐墓出土。

高32.5厘米。

武士頭戴盔帽，身着甲，腰束帶，足穿鞋。唇上八字鬍上翹，眼下視，兩手當胸作持物狀。

現藏湖北省博物館。

陶牽裙女俑

唐

湖北武漢市武昌區鉢盂山出土。

高29.2厘米。

俑頭梳雙丫髻，上穿窄袖衫，罩半臂，披肩巾，下着長裙。左手牽裙，右脚稍前作行走狀。

現藏湖北省博物館。

陶梳髮女俑

唐

湖北武漢市武昌區何家壟188號墓出土。

高18.9厘米。

俑身着緊袖尖領裙衫，長裙拖地露出雙脚。足穿圓口花鞋。右手握髮，左手持梳，作梳髮狀。前置小簸箕，內放梳妝用品。

現藏湖北省博物館。

隋唐（公元五八一年至公元九〇七年）

釉陶伎樂俑

唐

湖南長沙市咸嘉湖出土。

高16.3–18.6厘米。

一組五人。所執樂器分別爲竪箜篌、拍板、鼓、鈸和觱篥。

現藏湖南省博物館。

陶伎樂女俑（左圖）
唐
湖北武漢市武昌區何家壠188號墓出土。
高18.9–20.1厘米。
一組共七人，頭縮髮髻，着尖領開胸緊袖拖地長裙衫。各執不同樂器，有拍板、簫、阮咸、琵琶、笙和拍鼓。
現藏湖北省博物館。

隋唐（公元五八一年至公元九〇七年）

陶女樂俑
唐
湖南長沙市出土。
高19厘米。
頭梳雙丫髻，身穿窄袖衫裙，懷抱四弦琵琶。
現藏湖南省博物館。

陶持杖老人俑
唐
湖南長沙市赤崗冲出土。
高37厘米。
俑頭戴冠，上身着交領廣袖衫，腰束帶，下身着束脛褲，足穿草鞋。雙手于胸前拄杖。
現藏湖南省博物館。

陶胡人俑

唐

湖南湘陰縣出土。

高30.5厘米。

俑頭戴幞頭，着圓領窄袖長袍，腰繫帶。

現藏湖南省博物館。

青瓷牽馬胡人俑

唐

重慶萬州區出土。

高25.5厘米。

俑頭戴幞頭，身穿窄袖對襟長衫。

現藏四川博物院。

彩繪陶文官俑
唐
遼寧朝陽市工程機械廠蔡須達墓出土。
高20厘米。
俑頭戴小冠，身穿交領廣袖長袍，雙手攏于胸前。
現藏遼寧省博物館。

彩繪陶男俑
唐
遼寧朝陽市工程機械廠蔡須達墓出土。
高20厘米。
俑頭戴風帽，身着翻領長衣，下着褲。雙手于腹前持物。
現藏遼寧省博物館。

彩繪泥騎馬仕女俑

唐

新疆吐魯番市阿斯塔那187號墓出土。
高39厘米。
女俑高髻，頭戴帷帽，身穿白色襦
衫，綠色長裙，足蹬黑靴。胯下
騎白蹄棗紅馬，馬配有鞍韉和
馬鐙。
現藏新疆維吾爾自治區博物館。

彩繪泥打馬球俑

唐

新疆吐魯番市阿斯塔那230號墓出土。

高26.5厘米。

騎者頭戴幞頭，着棕色緊袖長袍，黑靴。右臂揚起，手中握擊球棍，雙目注視左前方地面，作欲擊狀。

現藏新疆維吾爾自治區博物館。

彩繪泥厨事俑群

唐

新疆吐魯番市阿斯塔那201號墓出土。

高9.7－6厘米。

自左至右依次表現從舂糧到烙餅的過程，由四名女俑組成。頭均梳高髻，臉飾花鈿和妝靨。

現藏新疆維吾爾自治區博物館。

彩繪泥文吏俑

唐

新疆吐魯番市阿斯塔那201號墓出土。

高24.2厘米。

俑頭戴幞頭，着灰色圓領袍服。右手握筆，左肋挾文簿。

現藏新疆維吾爾自治區博物館。

彩繪泥男俑

唐

新疆吐魯番市阿斯塔那216號墓出土。

高110厘米。

俑頭戴巾幘，身穿棕色綠裏對襟翻領胡式袷袢，兩袖部分保存有深棕色花紋，足蹬靴。

現藏新疆維吾爾自治區博物館。

彩繪木女俑

唐

新疆吐魯番市阿斯塔那206號墓出土。

高29.5厘米。

俑頭梳雙丫高髻，面部化妝，飾花鈿（眉間額際）、斜紅（眼角外臉部）和妝靨（唇角兩側）。身着黃色織錦半臂，披綠色絲帛，長裙，腰繫錦帶。

現藏新疆維吾爾自治區博物館。

彩繪木牽馬俑

唐

新疆吐魯番市阿斯塔那206號墓出土。

高56厘米。

俑頭戴高聳折沿氈帽，身着黃裏綠色對襟胡式夾袍，黃裏上織有植物圖案，腳蹬黑色長靴。

現藏新疆維吾爾自治區博物館。

彩繪木宦者俑

唐

新疆吐魯番市阿斯塔那206號墓出土。

高34.5厘米。

俑頭戴幞頭，均無髭鬚，具有闍人特徵。足呈牛腿狀，
穿黑色長靴。外罩黃色綺袍，束以黑色紙帶。

現藏新疆維吾爾自治區博物館。

彩繪泥男俑頭

唐

新疆吐魯番市阿斯塔那出土。
高26.9厘米。
俑爲老者形象，昂首張望。
現藏新疆維吾爾自治區博物館。

彩繪木雜技俑

唐

新疆吐魯番市阿斯塔那336號墓出土。
殘高26.8厘米。
下面頂竿童子身着右衽短袖衫，紅色犢鼻。上部一童子倒立。
現藏新疆維吾爾自治區博物館。

彩繪泥大面舞俑

唐

新疆吐魯番市阿斯塔那336號墓出土。

高10.2厘米。

俑面目威嚴，作張口呼嘯狀，顯示武士搏擊的瞬間。

現藏新疆維吾爾自治區博物館。

銅胡騰舞俑

唐

甘肅山丹縣徵集。

高13.7厘米。

舞者爲胡人形象，頭戴高尖帽，身穿窄袖緊身衫和寬裙，足穿長筒翹頭靴，背負酒葫蘆。

現藏甘肅省博物館。

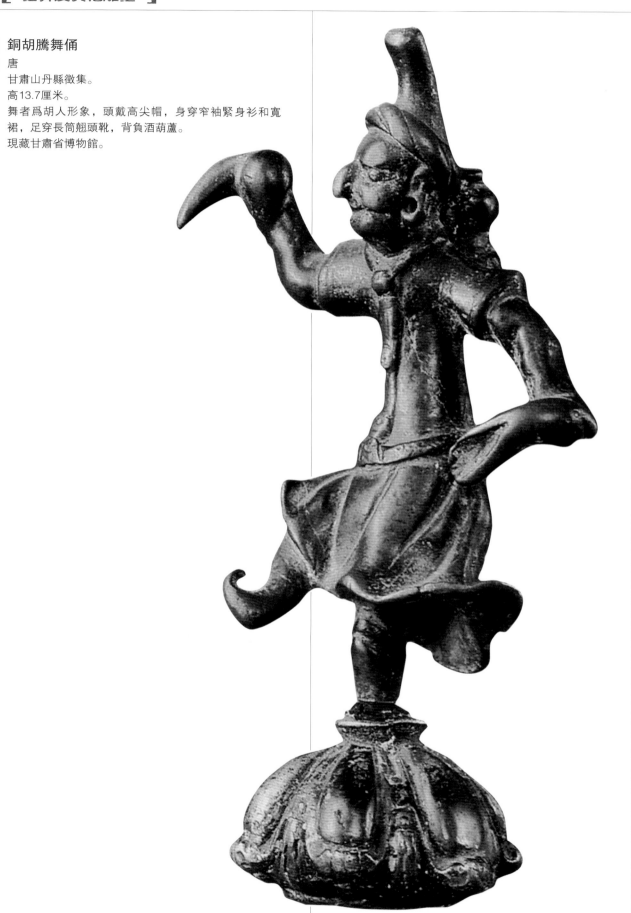

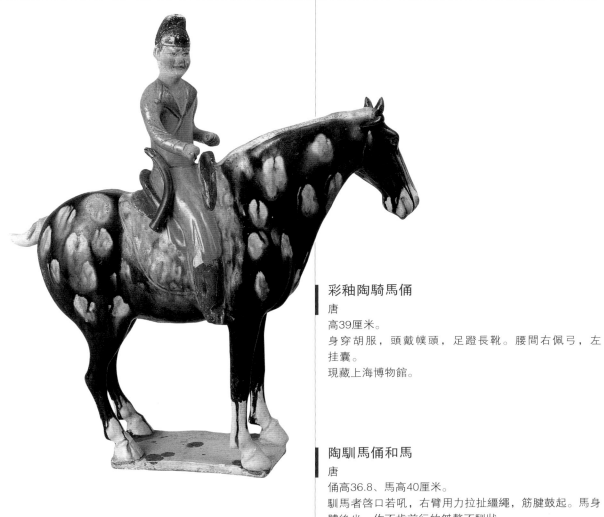

彩釉陶騎馬俑

唐

高39厘米。

身穿胡服，頭戴幞頭，足蹬長靴。腰間右佩弓，左掛囊。

現藏上海博物館。

陶馴馬俑和馬

唐

俑高36.8、馬高40厘米。

馴馬者啓口若吼，右臂用力拉扯繮繩，筋腱鼓起。馬身體後坐，作不肯前行的桀驁不馴狀。

現藏中國國家博物館。

三彩調鳥俑

唐

高38.7厘米。

俑頭戴襆帽，身穿翻領右衽窄袖長袍，腳穿錦靴，腰佩帶。右手架鳥。

現藏上海博物館。

彩繪貼金陶女立俑

唐

高55.6厘米。

俑頭梳高髻，身穿長袖襦衫，黑底金彩雲履從曳地長裙下翹出。右手貼胸，左手下垂握一巾帕。

現藏上海博物館。

彩繪陶女俑

唐

高31.4厘米。

俑梳雙髻，身着圓領袒胸窄袖衫，胸前繫長帶。

現藏中國國家博物館。

三彩女坐俑

唐

高36.7厘米。

俑頭梳雙高髻，身着白色窄袖襦衫，束綠色長裙，披黃帛，足穿雲頭履。右手貼胸持一束花，左手垂膝握一花蕾，端坐在束腰鼓凳上。

現藏上海博物館。

隋唐（公元五八一年至公元九〇七年）

三彩牽馬胡俑
唐
高71厘米。
胡人俑深目高鼻，鬍鬚濃密，身穿藍色翻領黃色窄袖短袍，腰束帶，腳蹬靴。右手抬于胸前部，左手提至腹部。
現藏故宮博物院。

彩繪陶女舞俑
唐
高21厘米。
頭梳雙角高髻，內穿緊身長袖衫，外套對襟半袖短襦，袖口摺疊，腰繫曳地長裙。
現藏故宮博物院。

三彩馬

唐

陝西西安市鮮

高54.3厘米。

馬頭微向左俱

現藏中國國家

白陶誕馬

唐

陝西禮泉縣張士貴墓出土。

高46.5、長54厘米。

通體純白，無任何披飾。右前蹄高高抬起，頭部向下回收，嘴大張作嘶鳴狀。

現藏陝西省昭陵博物館。

陶馬

唐

陝西禮泉縣

高34.6厘米

背馱鞍具，

現藏中國匠

三彩花馬

唐

陝西乾縣懿德太子李重潤墓出土。

高65、長80厘米。

馬頭飾鑣和綠色杏葉形垂飾。背飾深綠色馬鞍。

現藏陝西歷史博物館。

三彩啃

唐

陝西西安

高50.5厘

鬃毛短齊

鞍下鋪墊

現藏中國

三彩馬

唐

陝西西安市唐墓出土。

高40、長49厘米。

通體銀白，配以翠綠色轡頭、胸帶及葉形飾件。

現藏陝西歷史博物館。

三彩低頭馬

唐

陝西乾縣永泰公主李仙蕙墓出土。

高20厘米。

馬為低頭覓食狀。

現藏陝西歷史博物館。

三彩馬

唐

陝西西安市出土。

高58.7、身長57厘米。

鞍韉俱全，絡頭及革帶上有綠色花朵及杏葉形裝飾。引頸昂首，作嘶鳴狀。

現藏陝西省考古研究院。

隋唐（公元五八一年至公元九○七年）

三彩馬

唐

陝西西安市獨孤思貞墓出土。

高60.4、長58.5厘米。

身施赭黄、黄、白及綠色釉，呈花斑狀。四蹄無釉，臀圓體壯，矯健有力。

現藏中國國家博物館。

三彩馬

唐

河南洛陽市龍門安菩夫婦合葬墓出土。

高74.5厘米。

仰首站立，雙耳豎立，尾部束扎，鞍韉俱備。

現藏河南省洛陽市文物工作隊。

黑釉三彩馬

唐

河南洛陽市關林出土。

高66.7、長77.5厘米。

頭低垂，張口，戴轡銜鑣。背馱鞍韉和障泥，鞍上包
鞍袱。

現藏中國國家博物館。

彩繪陶馬
唐
河南鞏義市出土。
高48厘米。
頸部扭轉，勾頭張嘴，作舔胸狀。背上馱鞍具，障泥劃
出菱形格。
現藏河南博物院。

三彩鞍馬

唐

河南洛陽市出土。

高43.2厘米。

全身釉色以白爲主，點綴藍、黃、橙釉，色彩清麗雅致。

現藏河南省洛陽博物館。

泥塑馬

唐

新疆吐魯番市阿斯塔那336號墓出土。

高58.3、長61厘米。

頭向左側，頸曲而厚，背長腰短，平腹，臀尻圓實。右前蹄抬起，給人以强烈的動感和力感。

現藏新疆維吾爾自治區博物館。

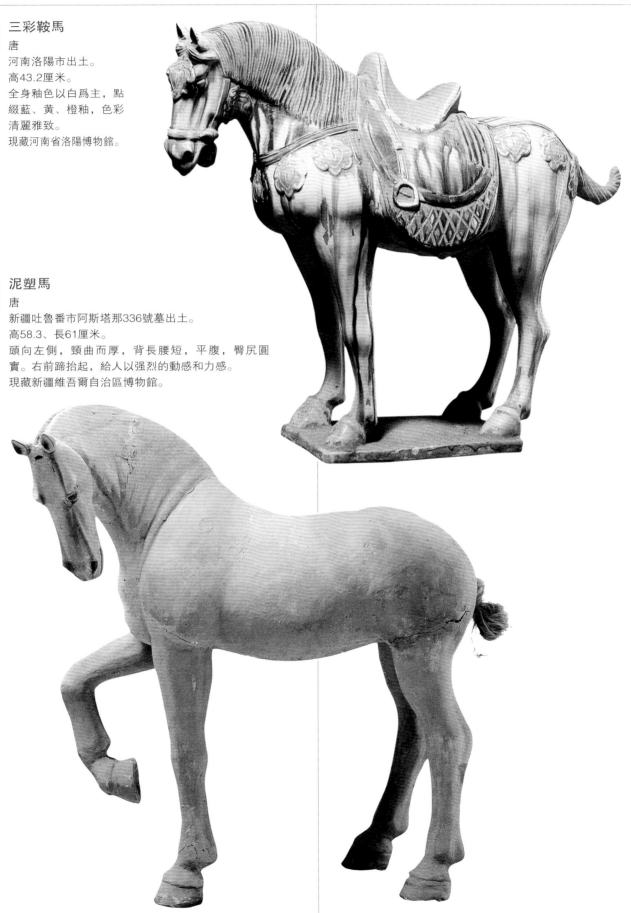

隋唐（公元五八一年至公元九〇七年）

彩繪泥馬

唐

新疆吐魯番市阿斯塔那出土。

高60.5、長79厘米。

馬鞍上飾刺繡圖案，裝飾華麗。

現藏英國倫敦大英博物館。

鎏金銅馬

唐

河南洛陽市十里鋪村出土。

高5、長5厘米。

仰首前視，身微彎曲，尾向下垂，四肢直立。

現藏河南省洛陽市文物工作隊。

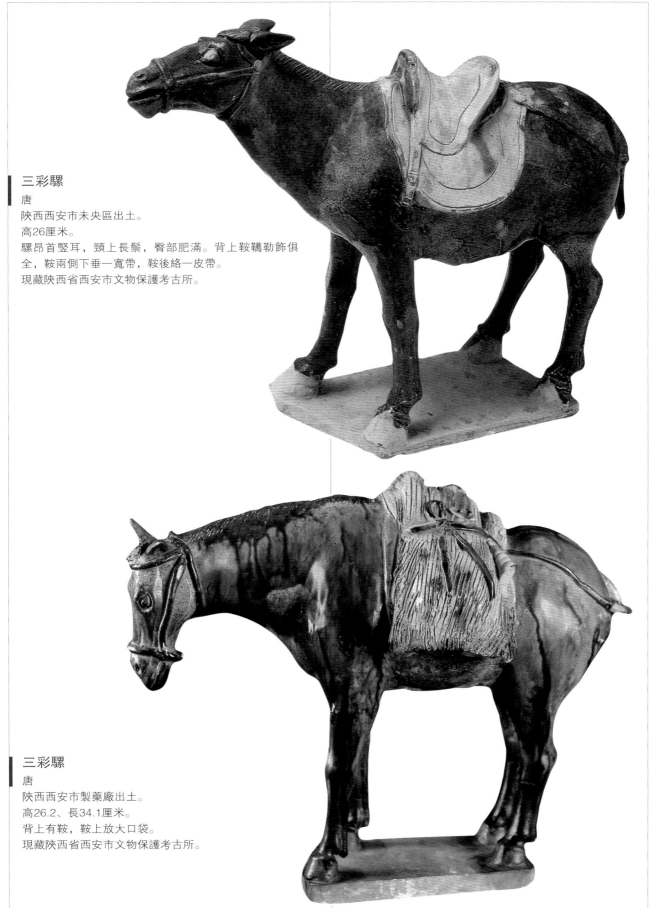

三彩騾
唐
陝西西安市未央區出土。
高26厘米。
騾昂首豎耳，頸上長鬃，臀部肥滿。背上鞍韉勒飾俱
全，鞍兩側下垂一寬帶，鞍後絡一皮帶。
現藏陝西省西安市文物保護考古所。

三彩騾
唐
陝西西安市製藥廠出土。
高26.2、長34.1厘米。
背上有鞍，鞍上放大口袋。
現藏陝西省西安市文物保護考古所。

隋唐（公元五八一年至公元九〇七年）

彩繪木牛車（上圖）

唐

新疆吐魯番市哈拉和卓墓地出土。

通長50厘米。

由牛、車兩部分組成。均塗成黑色。車爲雙轅，車廂前、後開門，左、右兩側墨繪花紋。車蓋用竹片製成。現藏新疆文物考古研究所。

陶牛車

唐

湖北武漢市武昌區鉢盂山出土。

車高15、長14.5厘米，牛高16、長23厘米。

捲棚頂車廂，前開門，無門扇，車廂後部刻劃象徵性窗欄。對牛昂首列于車前，頭戴籠頭，作拉車狀。

現藏湖北省博物館。

銅牛車

唐

山西翼城縣徵集。

牛高15、車高23厘米。

牛昂首而立，拉一帶篷銅車。

現藏山西博物院。

陶黄牛

唐

河南洛陽市出土。

高14.9、長22厘米。

黄牛頭頸短粗，軀體圓渾健壯，肩胛隆起，垂首甩尾，

頸下垂皮軟薄，緩徐行進。

現藏河南省洛陽博物館。

陶臥牛

唐
山西長治市王琛墓出土。
高15.7、長30厘米。
牛抬首欲起。
現藏中國國家博物館。

彩繪陶牛

唐
遼寧朝陽市工程機械廠蔡須達墓
出土。
高19.4、長25厘米。
威武雄壯，轡繩俱全。
現藏遼寧省博物館。

銅牛

唐

北京豐臺區史思明墓出土。

高20.5、長29.5厘米。

兩耳竪立，神態安詳，身體壯碩，四足短粗。

現藏首都博物館。

鎏金銅羊

唐

陝西西安市郊區出土。

通高9.4、長15.8厘米。

神情安詳恬静，周身陰刻細綫，猶如

茸茸的羊毛。

現藏陝西歷史博物館。

三彩載物駝

唐

陝西西安市唐墓出土。

高47.5厘米。

頭部高昂，作嘶鳴狀。駝峰高聳，上墊橢圓形花邊毯，
鞍架上搭放獸面馱囊，兩側挂着野雉、野兔、山羊等
獵物。

現藏陝西歷史博物館。

三彩駱駝

唐

陝西西安市韓森寨唐墓出土。

高25.4厘米。

四肢屈跪卧地，頭部高抬，
引頸長嘶。

現藏陝西歷史博物館。

三彩載物卧駝

唐

陝西西安市唐墓出土。

高29.1、長45厘米。

駝首高昂，作嘶鳴狀。四肢曲跪卧地，尾巴捲曲上
翹。背上墊一橢圓形氈，雙峰間搭有鞍架，上覆駄
囊、象牙和絲綢。

現藏陝西省西安市文物保護考古所。

三彩駱駝

唐

河南洛陽市關林唐墓出土。

高81、長68厘米。

駱駝昂首嘶鳴，駝峰間馱貨物。

現藏河南省洛陽市文物工作隊。

三彩駱駝

唐

河南洛陽市龍門安菩夫婦合葬墓出土。

高88厘米。

駱駝仰首嘶鳴。駝峰間搭彩色鞍韉，上挂皮
囊、絲綢、火腿、酒瓶等物品。

現藏河南省洛陽市文物工作隊。

三彩乘人駱駝

唐

河南洛陽市關林唐墓出土。

高38厘米。

駱駝背部白色，藍、綠色氈毯，雙峰間置獸面馱囊，堆
滿綠色絲卷和白色綢絹，兩端繫魚、豬肉、圓口小瓶和
鳳首壺。絹上坐一小人。

現藏河南省洛陽博物館。

隋唐（公元五八一年至公元九〇七年）

彩繪陶駱駝

唐

遼寧朝陽市工程機械廠蔡須達墓出土。

高38厘米。

駱駝昂頭挺胸，神氣高揚。駝峰兩側附有托板，上捆軟包，軟包上蹲坐一小猴。

現藏遼寧省博物館。

彩繪木骨泥單峰駱駝

唐

新疆吐魯番市阿斯塔那214號墓出土。

高72、長71厘米。

駱駝昂首抬頭，作嘶鳴狀。

現藏新疆維吾爾自治區博物館。

陶臥犬

唐

山西長治市王琛墓出土。

高7.2、長13厘米。

犬趴臥，兩前爪相搭。

現藏中國國家博物館。

石子母獅

唐

遼寧朝陽市韓貞墓出土。

高11.6厘米。

母獅摟抱小獅而嬉。

現藏遼寧省博物館。

三彩獅子

唐

陝西西安市出土。

高19.5厘米。

身軀蜷曲，右後腿高高抬起，勾頭張嘴，輕輕地咬右後腿。

現藏陝西歷史博物館。

三彩獅子

唐

陝西西安市出土。

高19.5厘米。

雄獅蹲臥在褐釉高臺上，作舔脚狀。右後腿向前彎曲于
前爪間，尾隨身捲曲至前爪。

現藏中國國家博物館。

陶猴（右圖）

唐

新疆新和縣羊達克庫都克烽燧出土。

高7.5厘米。

大猴懷抱一小猴，項戴佩飾，身施篦點紋。懷中小猴半
躺仰頭，作撒嬌狀。

現藏新疆維吾爾自治區博物館。

彩繪泥獅舞俑

唐

新疆吐魯番市阿斯塔那336號墓出土。

高12、長10厘米。

獅體中空，四肢作成人腿形，表明內有兩人作獅子舞，
獅身和腿上均刻劃有條紋，表示身上的皮毛。

現藏新疆維吾爾自治區博物館。

彩繪貼金陶天王俑

唐

陝西西安市西北政法大學出土。

高53.2厘米。

天王頭戴兜鍪，着鎧甲，胸部有貼金，臂部繪一隻奔
豹，右手叉腰，左手握拳，足下踏小鬼。

現藏陝西省西安市文物保護考古研究所。

彩繪貼金陶天王俑正面

彩繪貼金陶天王俑背面

彩繪貼金陶天王俑

唐

陝西西安市西北政法大學出土。

高49.5厘米。

天王鬚髮，着華麗鎧甲，胸部貼金，左手叉腰，右手舉起，足下踏小鬼。

現藏陝西省西安市文物保護考古所。

三彩天王俑

唐

陝西西安市韓森寨唐墓出土。

高52厘米。

天王雄壯有力，腳下小鬼面目猙獰，呻吟掙扎。

現藏中國國家博物館。

三彩天王俑

唐

陝西西安市中堡村唐墓出土。

高65厘米。

頭戴孔雀冠，鳳翅抹額，身穿明光甲，
腳踏小鬼，一副魁偉威武的樣子。小鬼
鬈髮鬈鬚，凸眼大鼻，全身赤裸，張口
作驚呼狀。

現藏陝西歷史博物館。

隋
唐
（
公
元
五
八
一
年
至
公
元
九
〇
七
年
）

三彩天王俑

唐

陝西西安市唐墓出土。

通高59.7厘米。

頭向右，戴盔，頂立一鳳鳥。身穿鎧，肩飾一龍首。足蹬靴，下踏一小鬼。通體施綠、藍、白、褐和黑色釉。現藏陝西省西安市文物保護考古所。

彩繪貼金陶天王俑

唐

陝西西安市陝棉十廠唐墓出土。

高98厘米。

頭戴側翻沿軟盔，盔頂飾孔雀，身穿圓領袍，外罩明光鎧，貼金箔，腰繫帶。腳蹬軟靴，踏于小鬼身上。現藏陝西省考古研究院。

三彩天王俑

唐

河南洛陽市關林1號墓出土。

高113厘米。

頭戴盔，身穿甲，腰束帶，足蹬靴，左手叉腰，右手握
拳上舉，立于一頭臥牛之上。

現藏河南省洛陽博物館。

彩繪貼金陶天王俑

唐

陝西出土。

殘高66厘米。

天王戴盔披甲，右手叉腰，左手握拳。

現藏陝西省西安博物院。

隋唐（公元五八一年至公元九〇七年）

三彩天王俑

唐

河南洛陽市出土。

高63.1厘米。

張嘴怒目，右手叉腰，左手握拳橫胸，右腳直立，左腳屈膝，腳下踏一夜叉。夜叉仰臥，作挣扎狀。

現藏河南省洛陽市文物工作隊。

彩繪陶天王俑

唐

甘肅寧縣出土。

高132厘米。

天王頭戴武士盔，穿緊身鎧甲和長筒靴，右手握拳揚起，左手叉腰，足下踩一頭臥牛，瞪目張口，形象威武。

現藏甘肅省博物館。

彩繪陶天王俑

唐

甘肅敦煌市老爺廟出土。

高127厘米。

天王高鼻圓目，披甲戴盔，脚踩
小鬼。甲盔均敷紅彩，并用石緑
描出裝飾紋樣。

現藏南京博物院。

彩繪木天王俑

唐

新疆吐魯番市阿斯塔那206號墓出土。

高86厘米。

天王全身甲冑，踏于小鬼腹部。其右足底部留有圓形榫
頭，置入小鬼腹部鉚眼。小鬼裸體，面部墨繪紋飾。
現藏新疆維吾爾自治區博物館。

鎏金銅天王像

唐

陝西寶雞市出土。

高65厘米。

髮上揚，左手高舉，足踏二小鬼。

現藏中國國家博物館。

三彩鎮墓獸

唐

陝西西安市中堡村唐墓出土。

高57.2厘米。

人面獸身。頭生獨角，辮髮收成一束聳立，腦後出戟，肩生雙翼。

現藏陝西歷史博物館。

三彩鎮墓獸

唐

陝西西安市唐墓出土。

高58厘米。

獅面獸身，頭生角，大嘴，肩有火焰狀雙翼，蹲踞于底座上。

現藏陝西歷史博物館。

彩繪貼金陶鎮墓獸

唐

陝西西安市長安區南里王村唐墓出土。

高136厘米。

獅面獸身，額頭生角，闊口獠牙，面目猙獰，肩部羽翼大張，短尾貼背。

現藏陝西省考古研究院。

三彩鎮墓獸

唐

陝西西安市郭家灘出土。

高72厘米。

獅頭，頭上長角，肩生雙翼，蹲在臺座上。

現藏陝西省西安市文物保護考古所。

三彩鎮墓獸

唐

陝西西安市鮮于庭誨墓出土。

高63.2厘米。

獸面，頭上有角，形象凶猛，色彩斑斕。

現藏中國國家博物館。

隋唐（公元五八一年至公元九〇七年）

白釉陶人面鎮墓獸

唐

陝西禮泉縣昭陵長樂公主墓出土。

高31厘米。

人面獸身，蹲立狀，頭上有一錐狀角。前腿直立，後腿曲蹲，尾巴上翹，緊貼後背。表情自然，神態安詳。

現藏陝西省昭陵博物館。

三彩鎮墓獸

唐

河南洛陽市關林出土。

高97厘米。

獸面似獅，張口怒目，頭生大角，肩生雙翼，蹲臥于臺座上。

現藏河南省洛陽博物館。

彩繪陶鎮墓獸

唐

甘肅慶城縣慶城鎮穆泰墓出土。

高97厘米。

人面，頭頂火焰狀螺旋形角。

現藏甘肅省慶城縣博物館。

彩繪陶鎮墓獸

唐

甘肅慶城縣慶城鎮穆泰墓出土。

高102厘米。

獸面，頭頸部有火焰狀鬃毛。

現藏甘肅省慶城縣博物館。

隋唐（公元五八一年至公元九○七年）

陶鎮墓獸

唐

甘肅寧縣出土。

高75.5厘米。

人面獸身，背上飾有火焰紋，肩生雙翼。

現藏甘肅省博物館。

陶鎮墓獸

唐

河北定州市南關出土。

高19.7厘米。

禽首畜蹄，作踞蹲狀。頭如鷹鷲，尖喙高翹。胸前褶皺數道，身有長羽雙翼，脊梁上亦有長毛向上飄張。

現藏河北省定州市博物館。

彩繪描金陶鎮墓獸

唐

寧夏固原市開城鎮小馬莊村史道洛夫婦墓出土。

高55厘米。

人面獸身，怒目圓睜，高鼻，有鬚，帶翼，頭戴兜鍪，
作挺身蹲伏狀。

現藏寧夏回族自治區固原博物館。

彩繪描金陶鎮墓獸

唐

寧夏固原市開城鎮小馬莊村史道洛夫婦墓出土。

高52厘米。

獅面有鬚，怒目圓睜，兩耳竪直，有翼，作蹲伏狀。

現藏寧夏回族自治區固原博物館。

彩繪泥鎮墓獸

唐

新疆吐魯番市阿斯塔那224號墓出土。

高86厘米。

軀體似豹，人頭；頭戴兜鍪，蹄足。

現藏新疆維吾爾自治區博物館。

彩繪泥鎮墓獸

唐

新疆吐魯番市阿斯塔那216號墓出土。

高75厘米。

獅頭，蹄足，身似豹，尾如豺狼。鬣毛聳立，體側各塑出一目。

現藏新疆維吾爾自治區博物館。

陶十二生肖俑

唐

陝西西安市出土。

高38.5–41.5厘米。

這些俑均爲獸（禽）首人身，
穿交領長袍，衣袖寬大，拱手
而立。

現藏陝西歷史博物館。

隋唐（公元五八一年至公元九〇七年）

彩繪泥鷄頭俑

唐

新疆吐魯番市阿斯塔那216號墓出土。

高80厘米。

鷄俑表示該墓男主人屬鷄，生于酉年。

現藏新疆維吾爾自治區博物館。

彩繪泥豬頭俑

唐

新疆吐魯番市阿斯塔那216號墓出土。

高77厘米。

豬頭俑表示該墓女主人屬豬，生于亥年。

現藏新疆維吾爾自治區博物館。

陶人首鳥身俑

唐

河北定州市南關出土。

高23.5厘米。

腰以上爲人形，頭髮上梳，髻形複雜。
長髮垂胸，穿寬袖衣，雙手拱于胸前；
腰以下爲鳥形，合雙翼。足爲畜蹄。
現藏河北省定州市博物館。

陶人首牛頭水注

唐

新疆和田市約特干遺址出土。

高19.5厘米。

圓口。上端塑造人首，頭戴螺狀高頂帽，
額廣眉隆，雙目細長，兩眸凸起，鼻高唇
厚，鬍鬚濃密。下塑牛頭。
現藏新疆維吾爾自治區博物館。

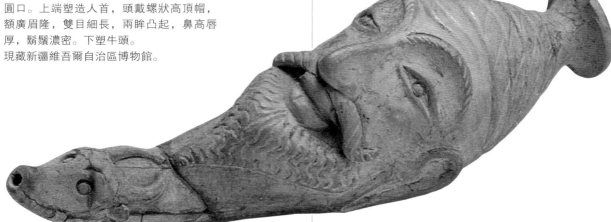

鎏金銅龍

唐
陝西西安市出土。
彎曲成"S"形，頭頂上長有三結叉的長角，雙目圓
睜，形象凶猛可怖。
現藏陝西歷史博物館。

銅坐龍（右圖）

唐
北京豐臺區史思明墓出土。
高31.5厘米。
坐龍身生雙翼，張口吼叫。
現藏首都博物館。

三彩女俑

渤海國

吉林和龍市龍頭山墓群出土。

高41厘米。

女俑袖手而立。

現藏吉林省延邊朝鮮族自治州博物館。

石獅

渤海國

吉林敦化市貞惠公主墓出土。

高64厘米。

獅張口吼叫。

現藏吉林省博物院。

石浮雕青龍

五代十國·吳越

浙江杭州市施家山吳漢月墓墓室出土。

墓主吳漢月爲吳越國第二主錢元瓘之妃。龍昂首、弓身、舉爪，作行進狀。

陶男女侍俑

五代十國·吳越

江蘇蘇州市七子山九龍塢出土。

高26－26.2厘米。

左右二男侍俑，雙手緊握抄胸前，挺身侍立。中立二女侍俑，右俑向左側視，似一中年婦女，左俑面部圓潤，活潑天真，似青年女侍。

現藏江蘇省蘇州博物館。

彩繪陶文官俑

五代十國·閩

福建福州市劉華墓出土。

高62.5厘米。

墓主劉華爲閩國第三主王延鈞之妻。俑戴冠，面露微笑，雙手作持物狀。

現藏中國國家博物館。

彩繪陶高髻女俑

五代十國·閩

福建福州市劉華墓出土。

高100厘米。

女俑頭梳扇形高髻，雙手拱于胸前長袖內。

現藏中國國家博物館。

五代十國至元（公元九〇七年至公元一三六八年）

彩繪陶老人俑

五代十國・閩
福建福州市劉華墓出土。
高47.4厘米。
老人頭戴風帽，身體佝僂。
現藏福建博物院。

石雕文官立像

五代十國・前蜀
四川成都市王建永陵陵前石刻。
高318厘米。
文官雙手于胸前持笏板，神情呆板。

彩繪石雕王建坐像
五代十國·前蜀
四川成都市王建永陵
出土。
高86厘米。
王建頭戴幞頭，幞頭兩
翅上翻束于頂部，身穿
圓領袍，兩肩各有一附
加物。墓主王建爲前蜀
開國皇帝，在陵墓中放
置帝王像，迄今已知僅
此一例。
現藏四川博物院。

石雕神將半身像

五代十國·前蜀

四川成都市王建永陵出土。

高63厘米。

頭上戴盔，耳翅向上翻，中部束絲帶，繞胸四匝，腰下
不繫外袍，披膊下袍袖翻飛。

彩繪貼金石雕舞伎（上圖）
五代十國·前蜀
四川成都市王建永陵出土。
框高30厘米。
王建墓中石棺床周圍共有二十四幅高浮雕樂舞伎，其
中舞伎二人。舞伎大袖，舞衣舒展輕垂，舞步輕踏，
微露一足靴尖。

彩繪貼金石雕樂伎
五代十國·前蜀
四川成都市王建永陵出土。
框高30厘米。
樂伎梳髻，身着大袖襦，外罩半臂，肩披雲肩，下穿長
裙。雙手執拍板。

彩繪貼金石雕樂伎（上圖）

五代十國・前蜀
四川成都市王建永陵出土。
框高30厘米。
樂伎盤膝而坐，長箏橫置于膝上，輕撫箏弦。

彩繪貼金石雕樂伎

五代十國・前蜀
四川成都市王建永陵出土。
框高30厘米。
樂伎懷抱琵琶，右手執撥子彈弦，左手按弦，神情專注。

石雕武士像

五代十國·南唐

江蘇南京市江寧區祖堂山李昇欽陵出土。

高190厘米。

墓主李昇爲南唐先主。頭戴盔，身穿甲，雙手于胸前拄劍。

現藏南京博物院。

彩繪陶女立俑

五代十國·南唐

江蘇南京市江寧區祖堂山李昇欽陵出土。

高49厘米。

頭梳高髻，髻頂有雲鉤形飾物，身穿直襟外衣，其袖上窄下廣，露頸，腕處有荷葉狀華袂，披雲肩，肩下繫一圍腰，雙帶飄垂，下着曳地長裙。

現藏南京博物院。

彩繪陶女舞俑

五代十國·南唐

江蘇南京市江寧區祖堂山李昇欽陵出土。

高49.5厘米。

舞俑內穿短襦，外着長衣、衣裙，腰繫帶。曲身揚袖起舞。

現藏中國國家博物館。

彩繪陶女舞俑

五代十國·南唐

江蘇南京市江寧區祖堂山李昇欽陵出土。

高47厘米。

髮髻高大，身着長裙，肩披雲肩，袖上有華袂。

現藏故宮博物院。

彩繪陶男舞俑

五代十國·南唐

江蘇南京市江寧區祖堂山李昇欽陵出土。

高46厘米。

頭戴幞頭狀帽，帽後有帽翅穿痕，身穿翻領長衣，腰束
帶，足穿靴，正在頓足起舞。

現藏南京博物院。

彩繪陶男舞俑

五代十國·南唐

江蘇南京市江寧區祖堂山李昇欽陵出土。

高46厘米。

頭戴幞頭，面塗白粉，轉身頓足而舞。

現藏故宮博物院。

五代十國至元（公元九〇七年至公元一三六八年）

陶人首魚身俑
五代十國·南唐
江蘇南京市江寧區祖堂山李昇欽陵出土。
長35厘米。
俑戴冠，冠頂有"王"字。魚身，有鰭。
現藏南京博物院。

白釉黑花瓷虎形枕
遼
遼寧朝陽市龍城區西大營子鎮出土。
高14、長32厘米。
虎作趴伏狀。
現藏遼寧省博物館。

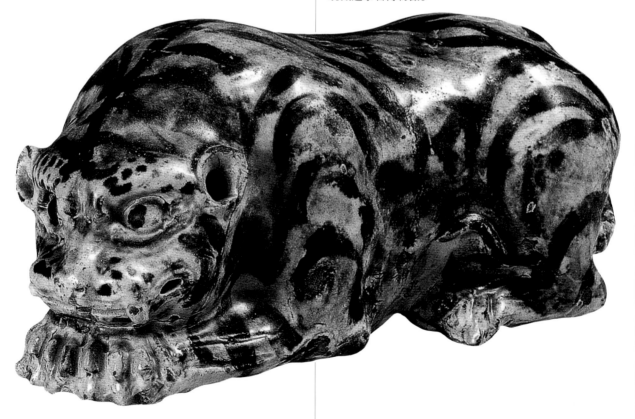

石雕力士像

遼

內蒙古呼和浩特市出土。

高45厘米。

面目威嚴，左手握于胸前，右手握掌于身側。

現藏內蒙古博物院。

瓷胡人騎獅俑

遼

內蒙古敖漢旗薩力巴鄉出土。

高14.5厘米。

胡人騎于獅背上，手持琵琶，背部背一敞口壺。

現藏內蒙古自治區敖漢旗博物館。

陶男俑

遼

北京昌平區南口鎮陳莊村出土。

高50.3厘米。

髡髮，身穿長袍，左肩有一花鈕扣，腰繫帶，
雙手攏于腹前，足蹬尖頭靴，面相豐滿生動。

現藏北京市昌平區文物管理所。

陶女俑

遼

北京昌平區南口鎮陳莊村出土。

高51.5厘米。

髡髮，內穿圓領衫，外套對襟短襖，腰繫帶，下着褶
裙，裙上有兩孔，圓頭鞋，面相飽滿生動。

現藏北京市昌平區文物管理所。

石臥羊（上圖）

北宋

河南鞏義市宋太宗永熙陵神道石刻。

通座高256厘米。

永熙陵爲宋太宗趙光義之陵，建于至道三年（公元997年）。

石羊四肢屈蹲，昂首伸頸。

石瑞獸

北宋

河南鞏義市宋太宗永熙陵神道石刻。

通座高280、底座長273厘米。

瑞獸肩生雙翼，昂首前望。

石人與石馬

北宋

河南鞏義市宋真宗永定陵神道石刻。

永定陵爲宋真宗趙恒之陵，建于乾興元年（公元1022年）。

馬頭頸垂纓，背負鞍韉，寧静温順。兩側各有一馬卒，頷首躬背，垂目肅立。

石使臣立像

北宋

河南鞏義市宋真宗永定陵神
道石刻。

通座高353厘米。

濃眉闊腮，渦狀的鬍鬚連接
鬢際，似阿拉伯人形象。

石獅

北宋

河南鞏義市宋真宗永定陵神道石刻。

通座高296、底座長276厘米。

獅子緩步前行。

石瑞禽

北宋

河南鞏義市宋英宗永厚陵神道石刻。

高251、寬166厘米。

永厚陵爲宋英宗趙曙之陵，建于治平四年（公元1067年）。

頭如馬首，身有鱗片，鷹爪，長尾六條，雙翼張開如舞，回首下視。

石文臣立像

北宋

河南鞏義市宋神宗永裕陵神道石刻。

通座高306厘米。

永裕陵爲宋神宗趙頊之陵，建于元豐
八年（公元1085年）。

文臣戴冠，雙手捧匣。

石獅

北宋

河南鞏義市宋神宗永裕陵神道石刻。

通座高243厘米。

獅子扭首回望，緩步前行。

石獅

北宋

河南鞏義市宋神宗永裕陵神道石刻。

通座高243厘米。

獅子扭首，張口吼叫。

石象與馴象人

北宋

河南鞏義市宋哲宗永泰陵神道石刻。

通座高302厘米。

永泰陵爲宋哲宗趙煦之陵，建于元符三年（公元1100年）。

馴象人前額平扁，濃眉厚唇，頭髮鬈曲，具有非洲黑人的形象特點。

石瑞禽

北宋

河南鞏義市宋哲宗永泰陵神道石刻。

高227、寬165厘米。

瑞禽長尾十四條，形成一個扇面，類似孔雀開屏，裝飾
性很強。

石武士俑

北宋

河南方城縣鹽店出土。

高31.2厘米。

頭戴冠，冠帶結于頷下，上身內着窄袖
衣，外穿寬袖袍，寬袖縮結下垂，腰間
束帶結花。下穿長褲，足穿歧頭履，
雙手拱于胸前。

現藏中國國家博物館。

石女主人及侍者俑

北宋

河南方城縣金湯寨村出土。

高35–42厘米。

女主人高髻，身着寬袖長袍，内穿百褶裙，袖手而立。侍者爲一女侍和七男侍，男侍頭戴幞頭，着圓領長袍，手中多持物。男俑座下有"有宋范府君之導衛"和"有宋范府君之從衛"銘記。

現藏河南博物院。

素胎女坐俑

北宋

江西景德鎮市出土。

高25厘米，底座長9、寬8厘米。

頭挽髮髻，身穿細花長衣，腰繫百褶裙，自背至肩搭

一長朵花紋錦帶。

現藏江西省博物館。

陶捧罐人

北宋

河北定州市出土。

高8.4厘米。

頭戴瓜皮帽，頭髮渦狀鬈曲，臂上有腕釧。

現藏河北省定州市博物館。

彩繪瓷男俑

北宋

江西景德鎮市宋墓出土。

座高22.6厘米。

俑頭梳高髻，內着交領短襦，外披圓領寬袖長衫，雙手捧圓形銅鏡于胸前。

現藏江西省博物館。

彩繪瓷侍吏俑

北宋

江西景德鎮市宋墓出土。

高22.4厘米。

頭戴披風帽，身着圓領寬袖袍服，雙手執笏，緊貼于臉的中部，動作誇張，顯得妙趣橫生。

現藏江西省博物館。

瓷牽馬俑

北宋

江西景德鎮市出土。

高21.9厘米。

馬昂首竪尾，左右各立一人，背靠馬體面朝外，作揚鞭
待發之勢。

現藏江西省博物館。

瓷藥王像

北宋

高45厘米。

傳說耀州黃堡鎮舊有藥王廟，廟中供奉唐代名醫孫思邈。藥王左手托瓶，右手撫胸，身披樹葉長衣。

現藏故宮博物院。

綠釉瓷相撲小兒

北宋

高6厘米。

兩孩童頭頂梳小髻，身上刺滿花綉，腰繫寬大的帶子和護襠，俯身摟抱着對方的腰帶和腿部，用力扭摔。

現藏河南博物院。

黑白釉瓷轎

北宋

河北定州市静志寺塔基地宮出土。

高15.5、底座邊長10厘米。

轎身方形，轎頂六角攢尖式。轎簾半遮，轎內跪坐一婦人，四名轎夫抬轎。

現藏河北省定州市博物館。

彩繪陶力士俑

北宋

江蘇溧陽市竹簀李彬夫婦墓出土。

高19.5厘米。

平頂披髮，面目猙獰如獅，上身裸，乳腹隆起，肌肉塑造誇張。

現藏江蘇省鎮江博物館。

陶蹲獅

北宋

河北定州市定州窯遺址出土。

高8.2厘米。

獅四足踞蹲，張嘴露齒，鬣毛披身，頸部挂圈。

現藏河北省定州市博物館。

瓷臥虎

北宋

江西景德鎮市宋墓出土。

高5.3、長9.8厘米。

瓷虎四肢抱攏蹲伏，頭側轉凝
視，尾上舉拂動。

現藏江西省博物館。

五代十國至元（公元九○七年至公元一三六八年）

瓷雙梟

北宋

江西景德鎮市宋墓出土。

高10.9厘米。

雙梟昂首引頸凝視天空，尾下垂，雙翅向下張開，顯出躍躍欲飛的生動姿態。

現藏江西省博物館。

瓷玄武

北宋

江西南昌市出土。

高6、長9、寬7厘米。

龜翹首爬行，背上滿刻半圓紋，蛇纏繞于龜身，昂首與龜相望。

現藏江西省博物館。

石雕力士支座

西夏
寧夏銀川市西夏陵區7號陵出土。
高64厘米。
力士面部渾圓，雙目圓睜外突，裸體，手腕、足脛帶
雙環。
現藏寧夏博物館。

石馬

西夏
寧夏銀川市西夏陵區177號墓甬道西側出土。
高70、長130厘米。
馬屈膝跪臥，身體肥碩渾圓，引頸垂首。
現藏寧夏博物館。

鎏金銅牛
西夏
寧夏銀川市西夏陵區177號墓甬道東側出土。
高45、長120厘米。
牛屈膝跪臥，引頸抬頭，肌肉突出，體魄健壯。
現藏寧夏博物館。

石狗
西夏
寧夏銀川市西夏陵區78號墓出土。
高40.3、長54.5厘米。
頭微抬，趴臥于石座上。
現藏寧夏博物館。

石武將像

金
原立于吉林舒蘭市小城子完顏希尹墓前。
高179厘米。
頭戴盔，身穿長袍，外着披肩。雙手握寶劍。
現藏吉林省博物院。

石文吏像

金
原立于吉林舒蘭市小城子完顏希尹墓前。
高205厘米。
頭戴冠，身穿圓領廣袖長袍，腰束帶。雙手持笏板，低眉垂目，表情嚴肅。
現藏吉林省博物院。

彩繪陶男侍俑

金

河南焦作市新李封村出土。

高27厘米。

頭上冠巾高聳，眉目鬚髮爲黑色，唇爲紅色，内衣綠色，外罩圓領長袍爲白色。

現藏河南博物院。

彩繪陶女侍俑

金

河南焦作市新李封村出土。

高20厘米。

辮盤髻，髻上無冠飾，衣飾簡素，耳飾、頸佩較精緻，雙手呈持物狀。

現藏河南博物院。

彩繪瓷男立俑

金

山東曲阜市楊家院村出土。

高30.4厘米。

頭戴幞頭，目光下視，身着圓領寬袖袍服，雙手執書
于胸前。

現藏山東省博物館。

彩繪瓷女立俑

金

山東曲阜市楊家院村出土。

高28厘米。

頭戴雲紋飾帽，垂髮掩耳，身着圓領小袖長衫，肩披彩
帛，雙手捧蓮籽。

現藏山東省博物館。

陶塑郯子鹿乳奉親

金

山西稷山縣馬村4號墓出土。

高約20厘米。

左側一人身披鹿皮，跪于地上，抬頭仰望。右邊一男子
手持弓箭，騎于馬上。馬前有一僕人手拿瓶問話。

現藏山西省金墓博物館。

陶塑閔損單衣順母

金

山西稷山縣馬村4號墓出土。

高約20厘米。

中間一老翁頭縮髻，身着交領長衫，
袖手坐于椅上，面前有一少年戴巾穿
袍，拱手而立。左側一少年頭梳丫
髻，身着長袍，袖手站立老翁身後。
現藏山西省金墓博物館。

陶塑郭巨埋兒孝母

金

山西稷山縣馬村4號墓出土。

高約20厘米。

中間有一坑，坑中冒着火焰，
左側一男子頭戴帽，身穿衫
褲，右手持銑，左手遮着火
光，凝望坑中。右邊有一女子
懷抱小兒，欠身而立。
現藏山西省金墓博物館。

陶塑魯義姑弃子救侄

金

山西稷山縣馬村4號墓出土。

高約20厘米。

右邊有一戴盔穿甲的騎馬將軍，左邊一懷抱小孩的婦人，腳下另有一小孩蹲坐地下，仰頭向婦人伸出雙手，而婦人面向將軍似在回話。

現藏山西省金墓博物館。

磚雕墓主人像

金

山西稷山縣馬村4號墓出土。

男墓主人高34、女墓主人高32厘米。

墓主人夫婦二人端坐于廳前，男女侍童恭立左右。

現藏山西省金墓博物館。

磚雕戲臺與戲俑

金

山西侯馬市董明墓出土。

戲臺高105、寬77厘米，戲俑高20-22厘米。

戲臺爲單檐歇山式建築，上面站立五名戲俑，裝扮各
異，爲雜劇中的五種角色。

現藏山西省考古研究所。

磚雕雜劇人物

金

山西稷山縣苗圃金墓出土。

戲俑高65-70厘米。

戲俑皆戴幞頭，着圓領長袍，腰束帶。

現藏山西省考古研究所。

磚雕樂伎

金

山西新絳縣澤掌鎮北蘇村金墓出土。

高27、寬22厘米。

樂伎頭束髻，戴花飾，裸身披帛，雙手捧笙吹奏。

現藏山西省新絳縣博物館。

磚雕樂伎

金

山西新絳縣澤掌鎮北蘇村金墓出土。

高27、寬22厘米。

樂伎頭束髻，戴花飾，裸身披帛，下着裙，吹奏橫笛。

現藏山西省新絳縣博物館。

磚雕舞伎

金

山西新絳縣澤掌鎮北蘇村金墓出土。

高27、寬22厘米。

舞伎身披帛帶，赤足踏蓮，身體扭動起舞。

現藏山西省新絳縣博物館。

磚雕吹笛樂俑

金

山西襄汾縣永固村金墓出土。

磚高40厘米。

頭戴花簇，身着廣袖大袍，雙手握笛作吹奏狀，其側身、聳肩、低頭的動勢，加上飄動的長鬚和拂動的廣袖，十分形象地表現了演奏橫笛特有的身姿情態。

現藏山西博物院。

磚雕舞伎俑

金

山西襄汾縣永固村金墓出土。

磚高40厘米。

頭戴硬殼帽，上飾牡丹花束，身着窄袖舞衣，雙臂一前一後，兩腿一伸一屈，舞姿剛健，節奏歡快。

現藏山西博物院。

磚雕侍女俑

金

山西孝義市下吐京村金墓出土。

高58厘米。

侍婦着短衫、羅裙，雙手捧杯。

現藏山西博物院。

石踞虎

金

原立于吉林舒蘭市小城子完顏希尹墓前。

高118厘米。

石雕昂首翹尾，雙目圓睜，張口露齒，蹲坐于地。

現藏吉林省博物院。

石雕雲龍紋抱柱

金

北京房山區金世宗興陵出土。

高235厘米。

龍騰空而上，周圍飾雲紋。

現藏首都博物館。

石坐龍

金

北京房山區金陵出土。

高37厘米。

龍通體飾鱗片和火焰紋，蹲坐于雲臺上，臺下有榫，原應插在望柱之上。

現藏首都博物館。

銅坐龍

金

黑龍江哈爾濱市阿城區上京會寧府遺址出土。

高19.6厘米。

昂首張口，弓身捲尾，右前足踏地，左前足抓一朵祥雲，後腿坐于地上。

現藏黑龍江省博物館。

石武士像

南宋

浙江寧波市鄞州區東錢湖鎮上水村史漸墓墓前石刻。

高350厘米。

武士戴盔着甲，手拄長劍。

石文臣像

南宋

浙江寧波市鄞州區東錢湖鎮上水村史漸墓墓前石刻。

文臣頭戴五梁冠，雙手捧笏。

彩繪石楊粲坐像

南宋

貴州遵義市紅花崗區深溪鎮楊粲墓出土。

高97厘米。

位置在楊粲墓後室壁龕正中，發掘時椅背兩角龍頭、靠墊及袍服上殘留有貼金及紅綠色彩繪痕迹。

現藏貴州省博物館。

石文官像

南宋

貴州遵義市紅花崗區深溪鎮楊粲墓出土。

高127厘米。

頭戴長腳幞頭，身穿圓領長袍，雙手于胸前持笏板。

現藏貴州省博物館。

石武士像

南宋

貴州遵義市紅花崗區深溪鎮楊粲墓出土。

高154厘米。

頭戴盔，身穿袍，腰束帶，雙手于腹前按一斧。

現藏貴州省博物館。

石女官像

南宋

貴州遵義市紅花崗區深溪鎮楊粲墓出土。

高129厘米。

雙手于胸前捧六棱形盫具。

現藏貴州省博物館。

石進貢人

南宋

貴州遵義市紅花崗區深溪鎮楊粲墓出土。

高127厘米。

裸上身，繫披肩，下着短裙。鬈髮，深目高鼻。頭上頂一圓盤，雙手扶盤沿，盤內裝犀角、寶球和金錠等物。

現藏貴州省博物館。

五代十國至元（公元九〇七年至公元一三六八年）

瓷老人俑

南宋

安徽休寧縣出土。

殘高13.7厘米。

下部已殘，姿勢原似坐式。右袖口露出拇指，手中執物
不明，作沉思狀。

現藏安徽省博物館。

瓷人頭像

南宋

浙江龍泉市大窑遺址出土。

殘高5.5厘米。

頭戴製花高裝巾子（兩翅殘失），面露微笑。

現藏浙江省博物館。

瓷哀泣俑

南宋
江西鄱陽縣出土。
高17厘米。
俑頭上戴巾帽，上有圓形飾物，腰間繫長帶，服裝素
樸，應是當時喪服的一種。雙足恭立，手舉至下頜，似
作拭泪狀。
現藏江西省博物館。

彩繪瓷男戲俑

南宋
江西鄱陽縣出土。
高18厘米。
雙臂動作舒展，似在起舞。
現藏江西省博物館。

素胎戲俑

南宋

江西鄱陽縣出土。

高16–8厘米。

戲俑各具姿態，有的拱手，有的比劃，有的擦臉似在吟唱，還有一女俑蒙頭蓋臉。

現藏江西省博物館。

彩釉泥孩兒

南宋

江蘇鎮江市五條街出土。

兩個嬉玩的兒童相互摔倒，却笑態可掬，三個旁觀的孩子神情專注。

現藏江蘇省鎮江博物館。

木文侍俑

南宋

高36厘米。

頭戴無翅幞頭，身穿圓領大袖袍衫，雙目微合，拱手而立。

現藏南京博物院。

瓷鎮墓武士俑

南宋

安徽休寧縣出土。

左高15.6、右高17厘米。

臉部極其誇張，兩眼相距很寬，眼球凸出，鼻梁平，鼻尖上翹，齜牙咧嘴。

現藏安徽省博物館。

五代十國至元（公元九〇七年至公元一三六八年）

磚雕吹笙女子

南宋
陝西洋縣彭杲墓出土。
高54、寬33厘米。
女子捧笙而吹。
現藏陝西省洋縣文物博物館。

磚雕彈琵琶女子

南宋
陝西洋縣彭杲墓出土。
高54、寬33厘米。
女子持琵琶彈奏。
現藏陝西省洋縣文物博物館。

陶漢裝男俑

元

高30厘米。

男俑身穿漢式短服，作牽馬狀。

現藏內蒙古博物院。

石雕帝王像

元

內蒙古正藍旗桑根達來鎮羊群廟祭祀遺址出土。

殘高155厘米。

頭部殘缺，坐于交股式圈椅上，身穿華麗的袍服，上面
刻有龍紋和牡丹花圖案，腰部兩側還雕有短刀、角錐和
方囊等飾物。

現藏內蒙古博物院。

五代十國至元（公元九〇七年至公元一三六八年）

陶牽馬男俑

元

高27.2厘米。

男俑身着交領右衽長袍，足蹬靴，作牽馬狀。

現藏內蒙古博物院。

陶立俑

元

高29厘米。

俑髡髮，身穿交領右衽長袍，腰束帶。身體健壯，面龐豐腴。

現藏故宮博物院。

紅釉瓷老人俑

元

江西景德鎮市出土。
高21、底徑7-9厘米。
頭戴雙翹官帽，身着紅色朝服，腰繫玉帶，雙手捧圭，
腳蹬船形履。
現藏江西省博物館。

陶色目人俑

元

山東濟南市祝甸出土。
高31厘米。
頭盤長辮，身穿長袍，體略前傾，右手持殘斷木棒，猶
如正欲搏鬥的勇士。
現藏山東省博物館。

磚雕舞蹈俑

元

河南焦作市西馮封村出土。

高40厘米。

頭戴荷葉帽，身穿圓領窄袖長袍，胸扎護圍，腰束帶。

雙臂張開，作舞蹈狀。

現藏河南博物院。

磚雕吹排簫童俑

元

河南焦作市西馮封村出土。

高38厘米。

免冠髡髮，上穿窄袖緊身上衣，下着短褲，腰繫護圍，
足蹬尖靴。

現藏河南博物院。

磚雕吹笛童俑

元

河南焦作市西馮封村出土。

高39厘米。

頭戴多角形笠帽，帽頂原有飾物丟失。髮結雙辮垂于胸
前，身穿窄袖長袍，腰際四道腰圍于胸前作結。二目專
注，雙臂半舉作吹奏狀，原有橫笛已失。

現藏河南博物院。

磚雕吹笛童俑

元

河南焦作市西馮封村出土。

高35厘米。

髡髮，身穿窄袖過膝袍，外加半袖開襟小褂，腰束帶，
腳蹬靴。雙手握笛作吹奏狀。

現藏河南博物院。

磚雕拍鼓童俑

元

河南焦作市西馮封村出土。

高36厘米。

頭頂剃光，兩側梳雙髻，袒露上身，腕戴圓鐲，左肩斜披彩帶，腰束花邊短裙。左臂挾鼓于腰際，鼓面飾雲紋，右手拍鼓。

現藏河南博物院。

磚雕擊拍板童俑

元

河南焦作市西馮封村出土。

高34厘米。

頭頂剃光，兩側梳髻，臉部豐滿，回首側視。頸帶項圈，身着短袍，腰束彩帶，雙手執拍板于胸前擊拍。足蹬軟靴，奔跑跳躍。

現藏河南博物院。

磚雕捧壺童俑

元

河南焦作市西馮封村出土。

高50厘米。

頭戴螺紋尖頂圓帽，身着圓領窄袖長衫，腰束帶，雙手捧壺，頭微側，呈凝神注視之態。

現藏河南博物院。

銅獻果品使者像

元

內蒙古包頭市徵集。

高33.5厘米。

像立于山形座上，爲深目高鼻胡人武士形象，雙手托一果盤，作獻貢狀。

現藏內蒙古博物院。

陶牽馬俑和馬

元

陝西戶縣賀氏墓出土。
馬高34、俑高27厘米。
牽馬俑頭戴圓形帽,束
辮垂至肩頭,身穿長
袍,腰束帶。馬背負行
囊,以繩索捆實。
現藏陝西歷史博物館。

銅牦牛

元

甘肅天祝藏族自治縣哈溪鎮出土。
長118、高77厘米。
牦牛雙角上揚,神態安詳。
現藏甘肅省天祝藏族自治縣博物館。

【 墓葬及其他雕塑 】

五代十國至元（公元九〇七年至公元一三六八年）

石翼馬

元

福建福州市新店鎮西壠村胭脂山元墓出土。

馬伏臥，身生雙翼。

現藏福建省福州市文物考古工作隊。

陶龍

元

陝西西安市元墓出土。

高17.6厘米。

頭生獨角，蹲坐。

現藏陝西歷史博物館。

510

石控馬官像

明

安徽鳳陽縣明皇陵神道東側石刻。

明皇陵爲明太祖朱元璋爲其父所建，始建于洪武二年
（公元1369年）。

馬官同馬雕爲一體，一手叉腰一手舉轡，倚在馬左側。

石文官像

明

安徽鳳陽縣明皇陵神道東側石刻。

高330厘米。

身着一品官服，雙手持笏恭立。

石虎

明

安徽鳳陽縣明皇陵神道東側石刻。

高230厘米。

前腿撐立、後腿蜷卧狀，雙目圓睜。

石羊

明

安徽鳳陽縣明皇陵神道東側石刻。

石羊昂首跪卧于神道旁。

石象

明

江蘇南京市明孝陵神道石刻。

高338厘米。

孝陵爲明太祖朱元璋之陵，始建于洪武九年（公元
1376年）。

象作敦厚温順之態。

石獅

明

江蘇南京市明孝陵神道石刻。

高192厘米。

圓目直視，鼻孔擴開，嘴部微張，作怒吼之態。

石文臣 武將 宮人像

明

江蘇盱眙縣明祖陵神道石刻。

明祖陵爲明太祖朱元璋爲其祖父所建，建于洪武十九年
（公元1386年）。

文臣戴冠，穿朝服，武將戴盔着甲，均立于束腰石座上。

石獅

明

江蘇盱眙縣明祖陵神道石刻。

獅前肢撐地，後肢蜷臥，挺胸昂首。

石馬

明

江蘇盱眙縣明祖陵神道石刻。

石馬立于石座上，飾有泡釘、纓穗、綏帶等諸多飾物
的銜轡、繮勒等馬具一應俱全。

石武將像

明

北京昌平區十三陵神道石刻。

高320厘米。

明十三陵石像生爲宣德十年
（公元1435年）整修長陵和獻
陵時所作。

頭戴兜鍪，身着鎖子甲，兩肩
及腹部有虎頭紋飾，胸前綴護
心鏡，右手持金瓜，左手持佩
劍，足蹬虎頭雲紋靴。

明清（公元一三六八年至公元一九一一年）

石象

明

北京昌平區十三陵神道石刻。

雙目直視，象鼻垂地，四足直立。

石駱駝

明

北京昌平區十三陵神道石刻。

高290厘米。

雙目平視，鬚下垂，口微開，神態安詳。

明清（公元一三六八年至公元一九一一年）

石獅（上圖）

明

北京昌平區十三陵神道石刻。

圓目直視，四足直立。

石麒麟

明

北京昌平區十三陵神道石刻。

雙目直視，前腿撐立，後腿蹲臥。

石牌坊基座

明

位于北京昌平區十三陵神道入口處。
上雕有麒麟、石獅、雲龍等瑞獸。

明清（公元一三六八年至公元一九一一年）

石勳臣像

明

湖北鍾祥市明顯陵神道石刻。

高266厘米。

顯陵爲明世宗爲其父所建，建于嘉靖六年（公元1527年）。

頭戴梁冠加籠巾，持笏恭立，身着寬袖方心曲領朝服，并綴蔽膝、革帶等。

石武將像

明

湖北鍾祥市明顯陵神道石刻。

高266厘米。

頭戴兜鍪，身穿鎧甲，左手緊握佩劍，右手殘損。

石神獸（上圖）

明

河南新鄉市明潞簡王墓神道石刻。

潞簡王墓爲明穆宗第四子朱翊鏐之墓，建于萬曆四十二年（公元1614年）。

鳥嘴，鱗身，蝙蝠翼，五爪足，形態奇特。

石麒麟

明

河南新鄉市明潞簡王墓神道石刻。

昂首，張口，鱗身。

明清（公元一三六八年至公元一九一一年）

石獅
明
北京天安門前石刻。
獅高240厘米。
獅頭微傾，左爪與小獅嬉戲。

石文官像

明

浙江杭州市岳飛墓神道石刻。

高203厘米。

此像爲洪武四年（公元1371年）復建岳飛廟時所作。

頭戴幞頭，身着大袖寬身朝服。面容肅穆，蓄長髯，雙手執笏，體態嚴謹。

釉陶武士俑

明

四川成都市鳳凰山朱悅墓出土。

高51厘米。

武士頭戴三朵纓穗的兜鍪，鍪耳飾鳳翅。身着鎧甲，下穿戰袍，繫項巾，腰繫帶。左挎弓囊，右挎箭袋。雙手持長矛。

現藏中國社會科學院考古研究所。

釉陶儀仗俑

明

四川成都市鳳凰山朱悅墓出土。

高32厘米。

中間一人雙手執槌擊大鼓，兩旁四人抬鼓。

現藏中國社會科學院考古研究所。

銅俑

明

河南靈寶市南營出土。

高35.8厘米。

二人均肩扛小旗，手中執鑼，一副打更人的裝扮。

現藏河南博物院。

鎏金銅玄武

明
原置于湖北丹江口市武當山。
高47、長63、寬44.5厘米。
龜首反顧，蛇首前伸，蟠于龜身，尾部相纏。
現藏湖北省博物館。

石武將像

後金

高354厘米。

頂盔貫甲，雙手拄鞭，叉腿直立，魁偉勇武。

現藏遼寧省撫順市元帥林文物管理中心。

石文官像

後金

高350厘米。

人物冠帶朝服，寬袖及膝，雙手持笏。

撫順市元帥林石刻，多由北京西郊隆恩寺遷來，原爲清
太祖努爾哈赤第七子阿巴泰及其家族墓地所有。

現藏遼寧省撫順市元帥林文物管理中心。

明清（公元一三六八年至公元一九一一年）

石象

後金
遼寧瀋陽市福陵神道石刻。
高200厘米。
象身龐大，給人以穩重之感。
現藏遼寧省瀋陽市東陵公園。

石駱駝

後金
遼寧瀋陽市福陵神道石刻。
高118厘米。
駱駝臥于須彌座上。
現藏遼寧省瀋陽市東陵公園。

石獅

後金

遼寧瀋陽市福陵神道石刻。

高150厘米。

獅蹲坐，張口吼叫，右爪按球。

現藏遼寧省瀋陽市東陵公園。

石麒麟

後金

遼寧瀋陽市福陵神道石刻。

高160厘米。

頭生雙角，身披鱗甲。

現藏遼寧省瀋陽市東陵公園。

石浮雕雙鹿（上圖）

後金

高118、寬170厘米。

一鹿昂首站立，一鹿低首吃草。背景飾以松、竹、梅、靈芝和山石等物。

現藏遼寧省撫順市元帥林文物管理中心。

石浮雕麒麟

後金

高124、寬194厘米。

麒麟後腿屈蹲，前身挺立，背景飾以松、竹、梅、仙花、祥雲和山石等物。

現藏遼寧省撫順市元帥林文物管理中心。

石馬
清
遼寧瀋陽市昭陵神道東側石刻。
高180、長270厘米。
傳説爲墓主人皇太極生前征戰四方的坐騎。
現藏遼寧省瀋陽市東陵公園。

明清（公元一三六八年至公元一九一一年）

石文臣像

清

河北遵化市清東陵孝陵神道石刻。

高294厘米。

文臣頸挂朝珠，身穿圓領補服袍褂，足穿朝靴。

石武將像

清

河北遵化市清東陵裕陵神道石刻。

高296厘米。

武將頂盔貫甲，全身戎裝。

銅鶴

清

河北遵化市清東陵定東陵隆恩殿前裝飾。

鶴引頸而立，彎喙。

明清（公元一三六八年至公元一九一一年）

石象

清

河北易縣清西陵泰陵神道石刻。

象背馱有寶瓶，稱爲"太平有象"，寓祥瑞之意。

銅獅

清

北京紫禁城養性門前裝飾。

張口瞪視前方，前足按一球，後腿蹲臥。

明清（公元一三六八年至公元一九一一年）

石浮雕鳳戲龍陛路石

清

河北遵化市清東陵定東陵隆恩殿前石刻。
高319、寬169厘米。

爲隆恩殿前陛御路石。浮雕爲"鳳引龍"式，周邊飾
以纏枝番蓮連續圖案。中爲丹凰展翅凌空，穿雲俯首
向下，蛟龍蟠曲出水，騰空向上，作嬉戲珠狀。龍鳳
四周配以祥雲，下爲海浪紋、山石紋。

琉璃九龍壁（局部）
清
北京頤和園照壁。
巨龍張口舞爪，翻轉于海天之間。

磚雕梁山聚義

清

廣東廣州市陳氏書院大門裝飾。

高200、寬475厘米。

此作品是據《水滸傳》所作，畫面以聚義廳爲中軸綫，
兩邊分列梁山英雄好漢，背景襯以雕梁畫棟，樓宇柵欄
層叠相間。周飾花邊，配飾八仙、瓜果、動物等圖案。
現藏廣東民間工藝博物館。

琉璃組雕

清

原爲廣東佛山市關聖大帝廟屋脊。

高150、長870厘米。

爲琉璃建築裝飾雕塑，作品中段的民間故事“穆桂英挂帥”爲主要構成部分。左段爲民間神話故事“牛郎織女”，右段爲民俗神話傳說“天官賜福”。

現藏廣東省佛山市博物館。

明清（公元一三六八年至公元一九一一年）

磚雕海公大紅袍

清

廣東佛山市祖廟建築裝飾。

高139、寬284厘米。

塑造的是明中葉名臣海瑞的故事，描寫海瑞與奸臣嚴嵩的鬥爭。

現藏廣東省佛山市博物館。

石雕漁樵耕讀圖

清

廣東潮州市彩塘鎮金砂一村從熙公祠牆飾。

高110、寬84厘米。

作品采用高浮雕鏤空技法與淺浮雕相結合，刻畫了一幅漁樵耕讀的生活場景。

明清（公元一三六八年至公元一九一一年）

貼金漆木雕"七賢上京"花板

清

高74、寬37厘米。

表現七位書生進京趕考的故事。表面髹漆貼金。

現藏廣東省博物館。

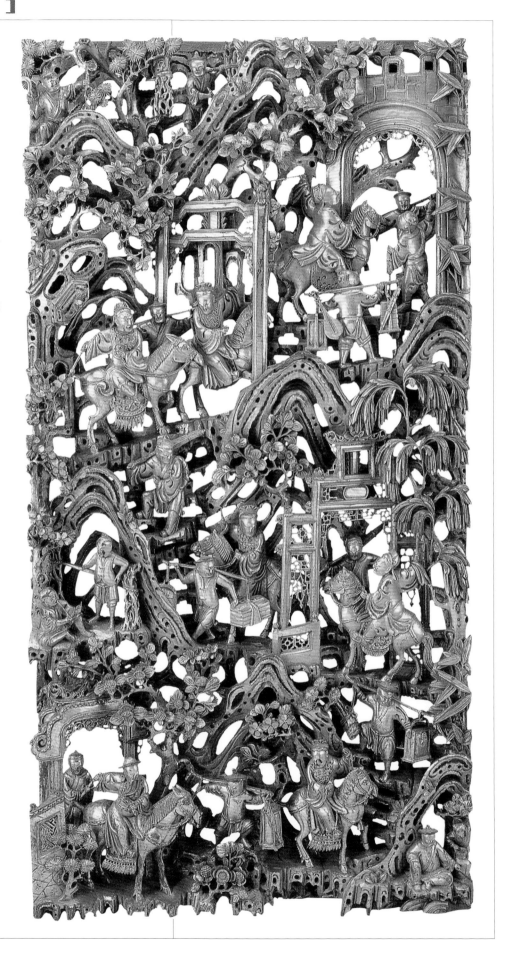

磚雕雙松

清
安徽歙縣徵集。
高28、寬29厘米。
磚面雕刻古松兩棵，背景爲屋宇。
現藏安徽省博物館。

明清（公元一三六八年至公元一九一一年）

泥塑漁樵問答

清
張明山
高52厘米。
表現漁夫和樵夫路遇相談。作者張明山（公元
1826–1906年）爲"泥人張"藝術的創始人。
現藏天津博物館。

年　表

新石器時代（公元前8000—公元前2000年）
　　裴李崗文化（公元前5500年—公元前4900年）
　　磁山文化（公元前5400年—公元前5100年）
　　雙墩文化（公元前5300年）
　　上宅文化（公元前5000年—公元前4000年）
　　河姆渡文化（公元前5000年—公元前4000年）
　　仰韶文化（公元前5000年—公元前3000年）
　　大溪文化（公元前4400年—公元前3300年）
　　大汶口文化（公元前4100年—公元前2600年）
　　良渚文化（公元前3300年—公元前2200年）
　　馬家窑文化（公元前3300年—公元前2100年）
　　龍山文化（公元前2600年—公元前2000年）
　　石家河文化（公元前2500年—公元前2000年）
　　齊家文化（公元前1900年—公元前1700年）

夏（公元前21世紀—公元前16世紀）
　　四壩文化

商（公元前16世紀—公元前11世紀）

西周（公元前11世紀—公元前771年）

春秋（公元前770年—公元前476年）

戰國（公元前475年—公元前221年）

秦（公元前221年—公元前207年）

漢（公元前206年—公元220年）
　　西漢（公元前206年—公元8年）
　　新（公元9年—公元23年）
　　東漢（公元25年—公元220年）

三國（公元220年—公元265年）
　　魏（公元220年—公元265年）
　　蜀（公元221年—公元263年）
　　吳（公元222年—公元280年）

西晋（公元265年—公元316年）

十六國（公元304年—公元439年）

東晋（公元317年—公元420年）

北朝（公元386年—公元581年）
　　北魏（公元386年—公元534年）
　　東魏（公元534年—公元550年）
　　西魏（公元535年—公元556年）
　　北齊（公元550年—公元577年）
　　北周（公元577年—公元581年）

南朝（公元420年—公元589年）
　　宋（公元420年—公元479年）
　　齊（公元479年—公元502年）
　　梁（公元502年—公元557年）
　　陳（公元557年—公元589年）

隋（公元581年—公元618年）

唐（公元618年—公元907年）

五代十國（公元907年—公元960年）

遼（公元916年—公元1125年）

宋（公元960年—公元1279年）
　　北宋（公元960年—公元1127年）
　　南宋（公元1127年—公元1279年）

西夏（公元1032年—公元1227年）

金（公元1115年—公元1234年）

元（公元1271年—公元1368年）

明（公元1368年—公元1644年）

清（公元1644年—公元1911年）